Между нами

Дома́шние зада́ния
Homework Assignments

Units 6-9

Last Revised: March 15, 2019

by

William J. Comer
Portland State University

with **Lynne deBenedette**
Brown University

and **Alla Smyslova**
Columbia University

Между нами

Дома́шние зада́ния (Homework Assignments): Units 6-9
Last Revised: March 15, 2019

Illustrations: Anna Boyles
Production/Layout Coordinator: Keah Cunningham
Project Assistant: Kayla Grumbles
Project Manager: Jonathan Perkins

Printed by Jayhawk Ink
University of Kansas

ISBN: 978-1611950199

Содержа́ние

Введе́ние

To Students

Welcome to the study of Russian! *Дома́шние зада́ния* (Homework Assignments) provides listening and written activities that you will complete at home and then turn in to your instructor. It is only one element of the *Ме́жду на́ми* program, which also includes an online textbook (mezhdunami.org) and *Рабо́та в аудито́рии* (Classroom Activities).

Organization of these homework exercises

The numbering system in the homework exercises matches the numbering system in the online textbook. As such, the exercises labeled 7.3 correspond to episode 7.3 Кем вы хоти́те стать? in the online textbook.

Within each episode, exercises start with work on the episode's text, then move to particular vocabulary and grammar work, and conclude with more open-ended writing (often situations or paragraphs about yourself). The exercises at the start of a unit are intended as building blocks - words, phrases and constructions that you can use (and reuse) in the open-ended writing exercises, and in many other contexts. Maximizing your use of these building blocks will make later assignments much easier, and it will help you gauge how well you have acquired the new material in the unit.

Read the instructions for each exercise carefully and follow the steps as indicated. Pay careful attention as you work through the individual elements of each activity, as you are often asked to understand subtle differences in meaning.

- 🎧 marks listening activities where you will need to work with a recording located on the А́удио tab of the *Ме́жду на́ми* website.
- 🔍 marks activities where you will need to do information gathering on Russian internet sites. Unless othersie indicated, links to those sites are provided at mezhdunami.dropmark.com.

Learning strategies to keep in mind as you do homework:

1. Regularly review the texts and grammar explanations in current and previous episodes of the online textbook. Language learning is cumulative, and each new homework exercise relies on previously learned material.
2. Work actively on sounding out new words you encounter in the exercises. You will be surprised at how many international words you will recognize once you pronounce syllables aloud. If you still do not recognize the word, check it in the online dictionary on the *Ме́жду на́ми* website. Since words can often have multiple meanings and usages, working with the *Ме́жду на́ми* dictionary will help you narrow down the set of word meanings to those that you have encountered.
3. When you are working on a specific exercise, try to complete as much of it as you can by drawing only on your memory of what you have learned from the textbook and your classroom practice. When you have finished this first attempt, check your work against the texts and grammar explanations and fill in any details you could not recall. This approach is more efficient in terms of time than looking up individual words or word forms as you encounter them. Furthermore, trying an exercise from memory first will give you a sense of how well you have internalized the material. If you can do an exercise easily AND correctly, then you should have confidence in your command of that material. If you try an exercise and cannot do it at all, you should go back and work with the text and grammar explanations before attempting it.

4. As you review your first attempt at doing a written exercise, pay attention to spelling. Have you confused **о / а**? **и / е / я**? Have you remembered to add commas when joining clauses?
5. When doing the open-ended writing exercises, do not look up new and unknown words and phrases in online translators. Use the words and phrases that you have already seen in the texts and activities.

Unlike other language textbooks that you may have used, the activities in this homework packet require you to pay attention to the meanings of new words and phrases, and not just to their grammar. To complete many of these activities you will need to know the texts and the story line of *Ме́жду на́ми*.

Ѝмя и фами́лия: ______________________________ Число́: ____________

Уро́к 6: часть 1

6.1 Упражне́ние А. Ноя́брь — тяжёлый ме́сяц

а. Pre-reading Activities

1. Before reading the episode, look at these three pictures that illustrate the plot of the story, and try to predict what will happen.

2. Now match each key phrase below with its English equivalent.

1. ____	ужа́сный день	а.	was in a hurry to get to the seminar
2. ____	всю ночь писа́ла	б.	brought a flash drive
3. ____	сде́лать презента́цию	в.	to make a presentation
4. ____	спеши́ла на семина́р	г.	there was nothing there
5. ____	принесла́ фле́шку	д.	wrote all night
6. ____	там ничего́ нет	е.	horrible day

3. Based on the pictures and phrases above, write a prediction in English of what happens in this episode.

____

____

____

____

б. Comprehension Activities

1. Now read the episode and rate your prediction. My prediction was:

____ very accurate.

____ somewhat accurate.

____ very inaccurate.

И́мя и фами́лия: ______________________________ Число́: ____________

2. Put the events from the episode in chronological order by numbering them appropriately. If there are words that are unfamiliar to you, look them up using the **слова́рь** and write in English equivalents above the word.

____ Ама́нда пошла́ в университе́т.

____ Ама́нда прочита́ла статьи́ и написа́ла план презента́ции.

____ Ама́нда сказа́ла преподава́телю, что не принесла́ презента́цию.

____ На семина́ре она́ поняла́, что на флё́шке презента́ции нет.

____ Ама́нда начала́ гото́вить презента́цию в суббо́ту.

____ Во вто́рник в два часа́ она́ написа́ла после́днюю фра́зу.

____ Позвони́л Же́ня.

____ В понеде́льник ве́чером она́ начала́ писа́ть презента́цию.

____ Ама́нда сохрани́ла файл не на флё́шке.

3. Find the verb phrases from the episode that describe Amanda's actions on the days leading up to her presentation, as well as those verb phrases that describe her actions on the day of the presentation (Tuesday). Write at least five verb phrases (i.e., verbs and their complements) in each column.

Days before Presentation	Day of Presentation

в. Reading Follow-up

1. Как в те́ксте? Find how the following ideas are expressed in this episode, and write the Russian phrases in the blanks below.
    1. Did you do your presentation?
    ____
    2. When I had read everything, I started to write an outline of the presentation.
    ____
    ____
    3. I was in a hurry.
    ____
    4. I quickly got dressed, brushed my teeth, and headed for the university.
    ____
    ____
    5. Zhenya called.
    ____
    6. Did you forget your computer?
    ____
    7. I wrote everything, but I didn't bring the presentation.
    ____
    ____

2. О культу́ре. Amanda's presentation is about Kazimir Malevich. Look at the link(s) provided at mezhdunami.dropmark.com to learn some basic facts about this person. What two or three points do you think Amanda would have made about him in her presentation? Write your answer in English.
    - ______________________________
    - ______________________________
    - ______________________________

Имя и фами́лия: ______________________________ Число́: ____________

6.1 Упражне́ние Б. Нача́ло и коне́ц

Match the beginning of each sentence with a logical conclusion based on what happens in this episode.

1.	____	Ама́нда гото́вила…	а.	компью́тер.
2.	____	В суббо́ту Ама́нда чита́ла статьи́ и…	б.	Ама́нда ничего́ не пригото́вила.
3.	____	Ама́нда писа́ла…	в.	она́ уви́дела, что там презента́ции нет.
4.	____	Во вто́рник в два часа́ Ама́нда написа́ла…	г.	писа́ла конспе́кты.
5.	____	Преподава́тель сказа́л, что в аудито́рии бу́дет…	д.	после́дние слова́ те́кста.
6.	____	Ама́нда принесла́…	е.	презента́цию три дня.
7.	____	Как то́лько Ама́нда откры́ла флёшку,…	ж.	текст всю ночь.
8.	____	Преподава́тель, наве́рно, поду́мал, что…	з.	флёшку на семина́р.

И́мя и фами́лия: ______________________________ Число́: ______________

6.1 Упражне́ние B. Ама́нда и её презента́ция

Katya's friend Lara has heard something about Amanda's tale of woe, but does not know exactly what happened. Katya fills her in on the details in this conversation. Fill in the blanks in their conversation with verbs from the word bank. All of the verbs are in the form required for the correct blank.

пригото́вила	**сказа́ла**	**откры́ла**
написа́ла	**пила́**	**гото́вила**
позвони́л	**гото́вить**	**чита́ла**
писа́ла (x3)	**прочита́ла**	**начала́**
опозда́ла		**принесла́**

Ка́тя: Э́то це́лая исто́рия. Во вто́рник у Ама́нды была́ презента́ция. Она́ ______________ презента́цию три дня. Она́ начала́ её ______________ в суббо́ту.

Ла́ра: Что она́ де́лала в суббо́ту?

Ка́тя: Она́ ______________ статьи́ и ______________ конспе́кты.

Ла́ра: Поня́тно. А когда́ она́ ______________ писа́ть текст презента́ции?

Ка́тя: Не в суббо́ту. Когда́ она́ уже́ ______________ все статьи́, она́ начала́ писа́ть план презента́ции. Всё воскресе́нье она́ ______________ то́лько план. В понеде́льник у́тром и днём бы́ли заня́тия. Ве́чером она́ наконе́ц (finally) начала́ писа́ть текст. Всю ночь она́ ______________ чай и ______________ текст. После́дние слова́ презента́ции она́ ______________ во вто́рник в два часа́ дня, а семина́р был в три часа́.

Ла́ра: Я не поняла́. В чём была́ пробле́ма? Ведь презента́ция была́ гото́ва.

Ка́тя: Когда́ она́ ещё была́ в общежи́тии, ______________ Же́ня.

Ла́ра: И Ама́нда ______________ на семина́р?

Ка́тя: Ты что! Ама́нда? Она́ ведь никогда́ не опа́здывает. В три часа́ она́ была́ в аудито́рии. А когда́ она́ ______________ флёшку, она́ поняла́, что презента́ции там нет.

Ла́ра: И что случи́лось пото́м? А что она́ ______________ преподава́телю?

Ка́тя: Ама́нда объясни́ла, что она́ ______________ презента́цию, но её не ______________. Файл оста́лся (remained) на компью́тере в общежи́тии.

Ла́ра: Како́й кошма́р!

И́мя и фами́лия: ______________________________ Число́: ______________

6.1 Упражне́ние Г. То́ни и его́ заня́тия

1. Review the uses of the imperfective and the perfective verb forms below:

Несоверше́нный вид (Imperfective)	**Соверше́нный вид** (Perfective)
• Duration: ongoing action or processes that unfold over a duration of time • Repeated: action that are habitual or repeated; action that happen regularly • Naming: statement that an action took place without focusing on completion	• Result: the completion of an action and achieving a result • Sequence: a series of consecutive actions, where the one is completed before the next begins • Expected: an expected action or an anticipated result

2. The sentences below describe Tony's experiences as a student last semester. Identify the aspect of the underlined verb in each sentence by circling **НСВ** (**несоверше́нный вид**) or **СВ** (**соверше́нный вид**). Then circle the letter that best represents the meaning of the aspect choice in the sentence.

		Како́й вид?	**Како́е значе́ние?**
1.	В про́шлом семе́стре То́ни слу́шал интере́сный курс: Росси́я и междунаро́дные отноше́ния.	а. НСВ б. СВ	а. Duration б. Naming в. Expected
2.	Ка́ждый понеде́льник преподава́тель чита́л ле́кции о росси́йской поли́тике.	а. НСВ б. СВ	а. Duration б. Repeated в. Sequence
3.	Студе́нты спра́шивали преподава́теля, когда́ у них бы́ли вопро́сы.	а. НСВ б. СВ	а. Result б. Repeated в. Sequence
4.	Преподава́тель расска́зывал мно́го интере́сного о ра́зных междунаро́дных пробле́мах.	а. НСВ б. СВ	а. Duration б. Naming в. Result
5.	В конце́ семе́стра был экза́мен. То́ни гото́вился неде́лю.	а. НСВ б. СВ	а. Duration б. Repeated в. Sequence
6.	Он ка́ждый день повторя́л но́вый материа́л.	а. НСВ б. СВ	а. Duration б. Repeated в. Expected

7. Он <u>чита́л</u> ра́зные статьи́.
   а. НСВ
   б. СВ
   а. Duration
   б. Naming
   в. Result

8. Он <u>писа́л</u> отве́ты на все вопро́сы, кото́рые мо́жет зада́ть преподава́тель.
   а. НСВ
   б. СВ
   а. Duration
   б. Naming
   в. Result

9. В день экза́мена То́ни <u>встал</u> ра́но и <u>пошёл</u> в университе́т.
   а. НСВ
   б. СВ
   а. Naming
   б. Result
   в. Sequence

10. На экза́мене преподава́тель <u>спроси́л</u> То́ни о росси́йской поли́тике в Казахста́не.
   а. НСВ
   б. СВ
   а. Naming
   б. Result
   в. Sequence

11. То́ни сра́зу <u>отве́тил</u> на вопро́с.
   а. НСВ
   б. СВ
   а. Duration
   б. Result
   в. Naming

12. Он хорошо́ <u>рассказа́л</u> всё, что знал на э́ту те́му, …
   а. НСВ
   б. СВ
   а. Naming
   б. Result
   в. Sequence

13. … потому́ что он то́лько что <u>прочита́л</u> дли́нную (long) статью́ об э́том вопро́се.
   а. НСВ
   б. СВ
   а. Naming
   б. Result
   в. Sequence

Имя и фами́лия: ______________________________ Число́: ____________

6.1 Упражне́ние Д. Они́ зна́ют друг дру́га? Лю́бят друг дру́га?

Each situation below refers to some aspect of two characters' relationship. Read the sentences carefully and choose an appropriate verb from the word bank to fill in each blank. There are two extra verbs. The first blank has been filled in for you.

~~ви́дели~~	**понима́ем**	**ви́дите**
зна́ли	**ви́дим**	**зна́ют**
понима́ли	**лю́бим**	**зна́ют**
зна́ют	**лю́бят**	**понима́ют**
	ви́дят	

0. Ка́тя: Мони́к, ты не зна́ешь, где Ама́нда?

   Мони́к: Нет, мы сего́дня не ви́дели друг дру́га.

1. Ке́йтлин: Все студе́нты в на́шей гру́ппе говоря́т по-ру́сски, но пло́хо, и на́ши преподава́тели нас не всегда́ понима́ют. Мы то́же иногда́ не ______________ друг дру́га. В пе́рвом семе́стре мой хозя́ин Мара́т Аза́тович и я ча́сто друг дру́га не ______________, а тепе́рь я его́ норма́льно понима́ю.

2. Зо́я Степа́новна: То́ни, э́то так хорошо́, что ты на́чал ходи́ть в теа́тр.

   То́ни: Да, Ю́рий Никола́евич там рабо́тает, он мне даёт (gives) биле́ты, и мы хо́дим вме́сте в теа́тр.

   Зо́я Степа́новна: Дя́дя Дени́са? Отли́чно. Вы ча́сто друг дру́га ______________?

   То́ни: Да, ча́сто. Ка́ждую неде́лю.

3. Джош: Мои́ бра́тья и я живём в Нью-Йо́рке, но они́ у́чатся в шко́ле на Лонг-А́йленде, а я учу́сь в Колумби́йском университе́те и живу́ там в общежи́тии. Бра́тья и я иногда́ ______________ друг дру́га, коне́чно, но не ка́ждый день.

4. Джош Стайн и Же́ня Кузнецо́в не ____________ друг дру́га.
5. Ка́тя и Ама́нда живу́т вме́сте в общежи́тии. Они́ ча́сто ____________ друг дру́га.
6. На фотогра́фии роди́тели Ама́нды Ли. Они́ о́чень ____________ друг дру́га. Они́ познако́мились в университе́те. Когда́ они́ бы́ли ма́ленькие, они́ жи́ли в Сан-Франци́ско, в кита́йском райо́не го́рода. Но тогда́ (at that time) они́ не ____________ друг дру́га.
7. В сентябре́, когда́ То́ни е́хал (was on his way) в Яросла́вль, он узна́л (found out), что его́ но́вая хозя́йка и Дени́с о́чень хорошо́ ____________ друг дру́га — они́ ба́бушка и внук.
8. Сосе́дка Ама́нды Ка́тя Нико́льская и её бойфре́нд Оле́г Па́нченко познако́мились на пе́рвом ку́рсе. Они́ сейча́с на тре́тьем, зна́чит, они́ ____________ друг дру́га уже́ два го́да (years).

6.2 Упражне́ние А. По́сле семина́ра

Review the episode and then complete this summary using the word bank. There is one extra word. All of the words are in the required form.

спроси́ли	**име́йл**	**зако́нчить**
по́сле	**уста́ла**	**сде́лать**
ждала́	**сты́дно**	**спит**
познако́мились	**обе́дала**	**договори́лись**

Ама́нде бы́ло о́чень ____________ на семина́ре, потому́ что она́ не могла́ ____________ свою́ презента́цию. ____________ семина́ра она́ пошла́ к Же́не, потому́ что они́ ____________ пойти́ в кафе́ во вто́рник ве́чером. Когда́ Ама́нда пришла́ (arrived), Же́ня писа́л ____________. Же́ня хоте́л ____________ име́йл, и поэ́тому Ама́нда ____________ его́ в большо́й ко́мнате.

Когда́ роди́тели Же́ни пришли́ (arrived), они́ уви́дели, что де́вушка ____________ на дива́не. Они́ ____________ Же́ню, кто э́то. Же́ня объясни́л, что э́то америка́нка Ама́нда, и что она́ о́чень ____________, потому́ что всю ночь гото́вила презента́цию.

Наве́рное, когда́ Ама́нда и роди́тели Же́ни наконе́ц ____________, Ама́нде опя́ть ста́ло неудо́бно (felt awkward).

И́мя и фами́лия: ______________________ Число́: ____________

6.2 Упражне́ние Б. Видовы́е па́ры (Aspect Pairs)

Write in the missing infinitives in the aspect pairs below and then provide an English equivalent. The first one has been done for you.

	Несоверше́нный вид	Соверше́нный вид	По-англи́йски
0.	де́лать	сде́лать	to do
1.	писа́ть		
2.	гото́вить		
3.		позвони́ть	
4.	чита́ть		
5.		посмотре́ть	
6.		почи́стить	
7.		купи́ть	
8.	опа́здывать		
9.		рассказа́ть	
10.		сказа́ть	
11.		поня́ть	
12.	забыва́ть		
13.	начина́ть		

И́мя и фами́лия: ____________________ Число́: ____________

6.2 Упражне́ние В. Но́вые глаго́лы (New Verbs)

Fill in the blanks in the five small paragraphs below using verbs from the word banks provided. You do not have to change the verb forms. Above each verb that you use, indicate whether it is imperfective (**НСВ**) or perfective (**СВ**). There are extra verbs in each set. The first one has been done for you.

Ситуа́ция 1

поняла́	**забы́л**	**отве́тила**
пригото́вила	**сказа́ла**	**спроси́л**
опозда́ла	**откры́ла**	**уви́дел**
на́чал		**почи́стила**

Ама́нда зако́нчила текст, оде́лась, ___почи́стила___ (СВ) зу́бы и пошла́ в университе́т.

Ама́нда не ____________ на семина́р, потому́ что она́ никогда́ не опа́здывает.

Преподава́тель ____________ семина́р в три часа́, и он сра́зу ____________ Ама́нду: «Вы гото́вы?»

Ама́нда ____________, что гото́ва. Но, когда́ она́ ____________ флэ́шку, она́ ____________, что её презента́ции там нет. Ама́нда ____________ преподава́телю, что она́ всё ____________, но презента́ции на флэ́шке нет.

Ситуа́ция 2

начала́	**прочита́ли**	**писа́ли**
	зако́нчила	

Сего́дня ученики́ Ри́ммы Ю́рьевны ____________ сочине́ние на уро́ке. Ве́чером по́сле у́жина Ри́мма Ю́рьевна ____________ чита́ть э́ти сочине́ния. Она́ ____________ э́ту рабо́ту то́лько в оди́ннадцать часо́в.

И́мя и фами́лия: ______________________________ Число́: __________

Ситуа́ция 3

понима́л	**помога́л**	**спра́шивал**
	расска́зывала	

В сентябре́ Зо́я Степа́новна ____________ То́ни мно́го о го́роде Яросла́вле и о его́ исто́рии. Когда́ То́ни не ____________ сло́во, он ____________ Зо́ю Степа́новну, что оно́ зна́чит.

Ситуа́ция 4

купи́ла	**забы́ла**	**начала́**
покупа́ла	**принесла́**	

Ра́ньше Ама́нда не ____________ чай, потому́ что у неё не́ было ча́йника. Но в конце́ октября́ она́ ____________ ча́йник, и она́ ____________ пить чай ка́ждый день. Вчера́ Ама́нда не пила́ чай, потому́ что она́ ____________ купи́ть его́, когда́ она́ была́ в магази́не.

Ситуа́ция 5

рассказа́ла	**гото́вила**	**сказа́л**
отвеча́ла	**позвони́л**	**на́чал**

В четве́рг, когда́ Зо́я Степа́новна ____________ суп, ____________ Дени́с. Он ____________ ей, что он бу́дет в Яросла́вле в пя́тницу ве́чером. По́сле звонка́ (phone call) Зо́я Степа́новна ____________ То́ни всё о пла́нах Дени́са.

И́мя и фами́лия: ______________________________ Число́: ____________

6.2 Упражне́ние Г. Ситуа́ции: Aspect with Questions and Negation

Read about aspect in the Немно́го о языке́ of this episode, and then pick the Russian sentence or question that best fits the situation. Choice **а** always features the imperfective verb form, while choice **б** always features the perfective verb form. Do not overthink the contexts.

1. You ask your roommate what he did yesterday.
   а. Что ты де́лал вчера́?
   б. Что ты сде́лал вчера́?
2. Your instructor asks you if you finished your composition that is due today.
   а. Вы зака́нчивали сочине́ние?
   б. Вы зако́нчили сочине́ние?
3. You ask a Russian friend if she has ever seen the movie *Superman*.
   а. Ты смотре́ла фильм «Суперме́н»?
   б. Ты посмотре́ла фильм «Суперме́н»?
4. You ask your Russian friend if he has listened to the song that you asked him to check out.
   а. Ты слу́шал пе́сню?
   б. Ты послу́шал пе́сню?
5. You ask a Russian friend if she has ever read *Doctor Zhivago*.
   а. Ты чита́ла «До́ктора Жива́го»?
   б. Ты прочита́ла «До́ктора Жива́го»?
6. A Russian friend is wondering if you have ever read *Doctor Zhivago*, and you reply that you have not.
   а. Нет, я не чита́л «До́ктора Жива́го».
   б. Нет, я не прочита́л «До́ктора Жива́го».
7. A Russian friend who knows that you were running late to class asks if you were in fact late to class. You tell him that you were not late.
   а. Нет, я не опа́здывал на заня́тия.
   б. Нет, я не опозда́л на заня́тия.
8. A Russian friend asks if you played soccer as a child, and you respond that you did not.
   а. Нет, я не игра́л в футбо́л.
   б. Нет, я не поигра́л в футбо́л.
9. A Russian friend asks you if you have written the composition that is due today, and you respond that you have not finished it yet.
   а. Нет, я не писа́л сочине́ние.
   б. Нет, я ещё не написа́л сочине́ние.
10. A Russian friend asks you if you have ever seen the movie *Война́*, and you respond that you have not.
    а. Нет, я не смотре́л «Войну́».
    б. Нет, я не посмотре́л «Войну́».

И́мя и фами́лия: ______________________ Число́: ____________

6.2 Упражне́ние Д. Being at Someone's Place

Complete the sentences with the best translation of the English phrases. Remember that the preposition **у** used with the genitive case can express "at someone's place."

1. Вчера́ Джош был ______________________.
   [at a friend's house]
2. То́ни живёт ______________________.
   [at Zoya Stepanovna's house]
3. Ке́йтлин живёт ______________________.
   [at Marat Azatovich & Rimma Yur'ievna's house]
4. По́сле ле́кции Дени́с был ______________________.
   [at an instructor's office]
5. По́сле семина́ра Ама́нда была́ ______________________.
   [at Zhenya's house]
6. Оле́г был ______________________.
   [at Katya's place]

6.2 Упражне́ние Е. Personalized Sentences

Review the activity words in Уро́к 5 and complete these sentences about your typical daily routine. Since you are making general statements about your habits, you should use imperfective verbs in the present tense.

1. По́сле за́втрака я ______________________
2. По́сле обе́да я ______________________
3. По́сле заня́тий я ______________________
4. По́сле рабо́ты я ______________________
5. По́сле у́жина я ______________________

Имя и фами́лия: ______________________________ Число́: ______________

6.3 Упражне́ние А. Я всё уме́ю

Review the episode and then read the following conversation between Svetlana Borisovna (СБ) and her daughter Sonya (С) about Josh. Fill in the blanks with words from the word bank.

гото́вил	**году́**	**зако́нчить**
помога́ть	**необы́чный**	**уме́ет**
пригото́вил	**опа́здывал**	**рассказа́л**
гото́вить	**опозда́ла**	**понра́вились**
встаёт	**встава́л**	**подожди́**
	нра́вилось	

СБ: Со́ня, ты зна́ешь, что пе́рвый ме́сяц, когда́ Джош жил у меня́, ка́ждый день у него́ в ко́мнате был ужа́сный беспоря́док (mess). Мне совсе́м не ______________, что он тако́й неаккура́тный. Пото́м Джош мне ______________, как он жил на пе́рвом ку́рсе университе́та в Нью-Йо́рке. Он ______________ по́здно, потому́ что ложи́лся спать по́здно. Он ча́сто ______________ на пе́рвую ле́кцию.

С: Типи́чный мужчи́на! Он, наве́рное, ничего́ не ______________ де́лать по до́му.

СБ: ______________, не перебива́й! Я снача́ла то́же так поду́мала, но Джош ча́сто говори́л, что он мо́жет ______________ по до́му, и что он да́же уме́ет ______________.

С: Не ве́рю (I do not believe it).

СБ: Он рассказа́л, что в про́шлом ______________ он рабо́тал в кафе́. Там он ка́ждый день ______________ сала́ты и сэ́ндвичи.

С: Но сэ́ндвичи э́то не у́жин.

СБ: Да, но вчера́ на рабо́те мне на́до бы́ло ______________ большо́й прое́кт. Я ______________ домо́й, но у́жин уже́ был на столе́. Э́то Джош ______________ нам спаге́тти. Его́ спаге́тти мне о́чень ______________.

С: Он действи́тельно уме́ет гото́вить?

СБ: Да. Тепе́рь он ______________ ка́ждое у́тро и гото́вит нам ко́фе. Он прекра́сно гото́вит ко́фе.

С: Како́й он ______________ студе́нт!

Имя и фами́лия: ______________________________ Число́: ____________

6.3 Упражне́ние Б. Дикта́нт: бу́квы и, у

The Russian letters **у** and **и** are easy to confuse, although they make very different sounds. Listen to the following sentences and fill in the blanks with the missing words.

1. Ке́йтлин сейча́с ____________ ____________.
2. То́ни ____________ ____________ на гита́ре.
3. Зо́я Степа́новна гото́вит ____________ на ____________.
4. Ста́ршая сестра́ То́ни ____________ в ____________.
5. Мара́т Аза́тович ____________ сигаре́ты и сейча́с ____________.
6. Где Ама́нда? Ама́нда ____________ ____ ____________.

6.3 Упра́жнение В. Distinguishing "Afters"

Read the following sentences and circle **по́сле** or **когда́** to indicate the correct translation for the English word "after." Note that the sentences form a small story.

1. **After** Anton finishes work, he'll stop at a store to get dinner. [**по́сле / когда́**]
2. **After** that, he'll go home and eat dinner. [**по́сле / когда́**]
3. He'll come to see us **after** dinner. [**по́сле / когда́**]
4. **After** we have dessert, we'll go to the movies. [**по́сле / когда́**]
5. **After** we see the movie, we'll have a long talk. [**по́сле / когда́**]
6. **After** that, we'll head home. [**по́сле / когда́**]
7. We'll get to bed **after** midnight. [**по́сле / когда́**]

И́мя и фами́лия: ______________________________ Число́: ____________

6.3 Упражне́ние Г. То́ни и его́ курсова́я рабо́та

In the sentences below Tony describes how he worked on a term paper back at home in Texas. His memories about the process are in English, but he has started to translate his thoughts into Russian. Help him complete the Russian text by circling the correct verbs. Review the grammar sections about simultaneous and consecutive actions before starting this activity.

1. *I started writing my term paper on Saturday.*

   Я на́чал [**писа́ть / написа́ть**] курсову́ю рабо́ту в суббо́ту.

2. *As I read the textbook, I took notes and listened to music.*

   Когда́ я [**чита́л / прочита́л**] уче́бник, я [**писа́л / написа́л**] конспе́кты и [**слу́шал / послу́шал**] му́зыку.

3. *After I read everything in the textbook, I started thinking about a topic.*

   Когда́ я [**чита́л / прочита́л**] всё в уче́бнике, я [**начина́л / на́чал**] ду́мать о те́ме.

4. *After class on Monday, I told my instructor that I want to write about Russian policy in Europe and asked him what he thought.*

   В понеде́льник по́сле заня́тий я [**расска́зывал / рассказа́л**] преподава́телю, что хочу́ написа́ть о росси́йской поли́тике в Евро́пе, и я [**спра́шивал / спроси́л**] его́, что он об э́том ду́мает.

5. *He said the topic is good, and he advised me to read three articles and two books.*

   Он [**говори́л / сказа́л**], что те́ма хоро́шая, и [**сове́товал / посове́товал**] мне прочита́ть три статьи́ и две кни́ги.

6. *Then, he started telling me about Russian policy in Kazakhstan. I listened to him for a long time, although it wasn't very interesting for me.*

   Пото́м он на́чал [**расска́зывать / рассказа́ть**] о росси́йской поли́тике в Казахста́не. Я до́лго [**слу́шал / послу́шал**] его́, хотя́ мне бы́ло неинтере́сно.

7. *Finally, I looked at my watch and realized that it was one o'clock and that I was already late for my next class.*

   Наконе́ц, я [**смотре́л / посмотре́л**] на часы́ и [**понима́л / по́нял**], что уже́ час, и я уже́ [**опа́здывал / опозда́л**] на сле́дующую ле́кцию.

6.3 Упражне́ние Д. Ри́мма Ю́рьевна: пе́рвый год рабо́ты

Read about Rimma Yur'evna as a young instructor and complete the text with the missing vocabulary. It will help you to know that in the Soviet period, university students at graduation were normally assigned their first jobs; they had no choice about where they were to be placed. Initial job placements were for three years.

зако́нчила	**начала́**	**на́чали**
нра́вится	**писа́ли**	**пошла́**
рассказа́л	**смотре́л**	**учи́лась**
	чита́ла	

Ри́мма Ю́рьевна ______________ в педагоги́ческом институ́те в Москве́. Когда́ она́ ______________ институ́т, ей (to her) сказа́ли, что она́ бу́дет рабо́тать в шко́ле, но не в Москве́, а в Каза́ни.

Когда́ она́ ______________ там рабо́тать, она́ поняла́, что преподава́ть — тру́дно. Ученики́ ка́ждый день ______________ дома́шние зада́ния, а Ри́мма Ю́рьевна ка́ждый ве́чер ______________ всё, что они́ написа́ли, а ещё ка́ждый день она́ ду́мала об уро́ке, кото́рый бу́дет за́втра. Ей не о́чень нра́вилось в Каза́ни, там бы́ло ску́чно, и рабо́та была́ о́чень тру́дная.

Одна́жды (once) ве́чером она́ ______________ на конце́рт тата́рской му́зыки. Ря́дом сиде́л (was sitting) краси́вый молодо́й челове́к, кото́рый весь ве́чер ______________ то́лько на Ри́мму Ю́рьевну. Она́ снача́ла не зна́ла, что де́лать. Наконе́ц он её спроси́л: «Вам ______________ му́зыка?» Она́ отве́тила, что му́зыка замеча́тельная, и спроси́ла его́ о музыка́нтах. Он ей немно́го ______________ о них.

Вы по́няли, кто э́тот молодо́й челове́к? Коне́чно, э́то был Мара́т Аза́тович. По́сле э́того (that) он и Ри́мма Ю́рьевна ______________ ходи́ть вме́сте и́ли на конце́рты, и́ли в кафе́. И Ри́мма Ю́рьевна реши́ла (decided), что Каза́нь — го́род совсе́м не ску́чный, а наоборо́т (on the contrary) — о́чень интере́сный.

И́мя и фами́лия: ______________________________ Число́: ____________

6.3 Упражне́ние Е. People and the Things They Like

Using the descriptions below as a guide, create a general statement to indicate that the person likes a specific activity or item. One has been done for you as an example. Remember that you will need to use a dative pronoun with the **нра́виться** construction.

0. Ама́нда ча́сто покупа́ет шокола́д.

   Зна́чит, шокола́д ей нра́вится.
1. То́ни ча́сто хо́дит в теа́тр.

   ____
2. Ке́йтлин ду́мает, что тата́рская наро́дная му́зыка о́чень интере́сная.

   ____
3. Джош ча́сто смо́трит футбо́л по телеви́зору.

   ____
4. Мы ча́сто покупа́ем журна́л «Огонёк».

   ____
5. Вы ча́сто е́здите в Сама́ру.

   ____
6. Ка́тя и Ле́на ча́сто хо́дят в магази́н «Эльдора́до».

   ____

6.3 Упражне́ние Ж. Нра́вится и́ли нра́вятся?

а. Read the following sentences and fill in the blank with **нра́вится** if the grammatical subject is singular or with **нра́вятся** if the grammatical subject is plural.

1. Мне ____________ му́зыка «ка́нтри».
2. Мне ____________ Джа́стин Би́бер и Ле́ди Га́га.
3. Мне ____________ и бейсбо́л, и баскетбо́л.
4. Мне ____________ кра́сные носки́.
5. Мне ____________ но́вые джи́нсы.
6. Мне ____________ чёрные сапоги́.
7. Мне ____________ университе́т, где я учу́сь.
8. Мне ____________ заня́тия в э́том семе́стре.
9. Мне ____________ ко́мната/кварти́ра, где я живу́ в э́том семе́стре.
10. Мне ____________ сосе́ди по ко́мнате (и́ли по кварти́ре).

б. Review the sentences that you completed, and circle the number of any sentences that are true for you.

И́мя и фами́лия: ______________________________ Число́: ____________

6.3 Упражне́ние З. Ма́ленькие слова́

Review the three episodes in this часть and match each Russian word with its English equivalent.

1.	____	не совсе́м	а.	not at all
2.	____	вчера́	б.	then; in that case
3.	____	це́лый	в.	then, after
4.	____	совсе́м не	г.	yesterday
5.	____	хотя́	д.	as soon as
6.	____	тогда́	е.	early
7.	____	как то́лько	ж.	still
8.	____	пото́м	з.	late
9.	____	уже́	и.	not entirely
10.	____	ещё	к.	already
11.	____	по́здно	л.	a whole
12.	____	ра́но	м.	although

6.3 Упражне́ние И. Ке́йтлин де́лает презента́цию

а. Listen to the audio about Caitlin and complete the following comprehension questions in English, giving as much detail as you can.

1. What topic does Caitlin choose for her presentation?

   ____

2. Where does she get the information for her presentation?

   ____

3. When is the presentation?

   ____

4. What elements has Caitlin included in her presentation?

   ____

5. How did the presentation turn out?

   ____

б. Listen to the audio again, and fill in the missing words. Check your spelling if you have doubts about any of the words.

1. ... вéчером онá ______________ писáть текст...
2. ... ______________ заня́тий онá ______________ текст...
3. ... ______________ в пя́тницу Кéйтлин ______________ рáно...
4. ... онá не ______________ в университéт...
5. ... онá ничегó не ______________...

6.3 Упражнéние К. Ситуáции

Review the episodes in this часть and provide an appropriate Russian statement for each of the following situations. Note that all of the prompts are connected and that the events take place at a small party.

1. You are unsure if your classmates Misha and Katya are acquainted. Ask them if they know one another.

   ____

   ____

2. Tell Katya that you like this salad a lot.

   ____

   ____

3. Katya tells you that Misha prepared it.

   ____

   ____

4. Misha tells you that he is very happy that you liked the salad.

   ____

   ____

5. Tell Misha that you did not know that he knows how to cook.

   ____

   ____

И́мя и фами́лия: ______________________________ Число́: ______________

6.3 Упражне́ние Л. Ра́ньше, а тепе́рь

Think about what you used to do when you were in **шко́ла** (high school) and compare it with what you are currently doing in college. You might include information on when you used to get up, when/where you used to study, when/where you used to work, etc.

Since you are writing about repeated past events, your sentences about **шко́ла** are most likely to be in the imperfective past, while your contrasting sentences about your current life will be in the present tense. Write in complete sentences.

Ра́ньше, когда́ я учи́лся/учи́лась в шко́ле, я…	**… а тепе́рь я…**

Ѝмя и фами́лия: ______________________________ Число́: ____________

Уро́к 6: часть 2

6.4 Упражне́ние А. Кто така́я Снегу́рочка?

а. In this episode Zhenya tells Amanda about Russian traditions, while Amanda tells him about American traditions. Use the exact Russian words and phrases from the text in completing the table below.

	Russian practices/traditions	**American practices/traditions**
What is the name of the winter holiday that is an occasion for giving gifts?		
What is the date of that holiday?		
To whom do they give presents on this holiday? What kinds of presents do they give?		
What are little children told about their presents?		

б. Answer these additional questions in English.

1. What happened to Amanda when she was seven?

____

2. What is the answer to, "Кто така́я Снегу́рочка?"

____

И́мя и фами́лия: ______________________________ Число́: ____________

6.4 Упражне́ние Б. О нового́дних пода́рках: Identifying Case Forms

Read the following text about selecting and buying presents for New Year's, and identify all of the nouns and pronouns by doing the following:

- underline all of the subjects (nominative case);
- circle all of the direct objects (accusative case);
- draw a box around all of the indirect objects (dative case).

One phrase has been done for you as a model.

Вчера́, когда́ ма́ма гото́вила нам у́жин, она́ начала́ расска́зывать мне о пода́рках, кото́рые она́ купи́ла в Гости́ном дворе́. Там она́ ви́дела хоро́шие ша́рфы и ша́пки. Они́ бы́ли недороги́е, и поэ́тому она́ сра́зу купи́ла мо́дную кра́сную ша́пку ба́бушке и чёрный шарф па́пе. Она́ показа́ла мне э́ти пода́рки, и они́ мне понра́вились.

По́сле у́жина я поняла́, что мне то́же пора́ поду́мать о пода́рках. Я написа́ла эсэмэ́ску ста́ршему бра́ту. «Что мы ку́пим роди́телям на Но́вый год?» Мо́жет быть, пода́рим ма́ме хоро́шую ко́фту, а отцу́ мо́жно подари́ть но́вый рома́н Аку́нина. Ведь ему́ нра́вятся детекти́вы. Брат мне написа́л, что хо́чет купи́ть роди́телям микроволно́вку, потому́ что она́ у них ста́рая и пло́хо рабо́тает. Иде́я хоро́шая, осо́бенно е́сли микроволно́вку ку́пит брат.

И́мя и фами́лия: ________________________________ Число́: ____________

6.4 Упражне́ние В. Кто кому́ что покупа́ет (Who Buys What for Whom)?

Think about what kinds of presents family members and friends usually give one another during the holidays. Then make ten logical sentences in the present tense using one item from each column in the table below. Make sure to use dative endings for the indirect objects, and accusative endings for the direct objects. One sentence has been done for you as a model.

кто? (subjects)	**глаго́лы (verbs)**	**кому́? (indirect objects)**	**что? (direct objects)**
я ма́ма па́па роди́тели брат сестра́ друг подру́га ба́бушка де́душка	покупа́ть дари́ть	я ма́ма па́па роди́тели ста́рший брат мла́дший брат ста́ршая сестра́ мла́дшая сестра́ друг подру́га ба́бушка де́душка	кни́ги мо́дная оде́жда кроссо́вки ку́ртка га́лстук необы́чная футбо́лка хоро́шая те́хника (смартфо́н, ноутбу́к) духи́ краси́вые се́рьги биле́т на конце́рт ??

0. Я обы́чно покупа́ю ба́бушке интере́сные кни́ги.
1. ____________________
2. ____________________
3. ____________________
4. ____________________
5. ____________________
6. ____________________
7. ____________________
8. ____________________
9. ____________________
10. ____________________

Имя и фами́лия: ______________________________ Число́: ______________

6.4 Упражне́ние Г. Наде́юсь, что пода́рок понра́вится

Read the following comments about people's interests. Then pick an appropriate present from those pictured below and write a sentence saying that you hope the present will please the person. One has been done for you as an example. Remember to change the form of **понра́виться**, depending on whether the gift is singular or plural. Use names, not pronouns, in your sentences.

0. Ната́лья Миха́йловна лю́бит краси́во одева́ться.

   <u>Я наде́юсь, что Ната́лье Миха́йловне понра́вятся э́ти духи́.</u>

1. Зо́я Степа́новна лю́бит гото́вить.

   ____

2. Джош лю́бит игра́ть в футбо́л и в хокке́й.

   ____

3. Светла́на Бори́совна говори́т, что на рабо́те всегда́ хо́лодно.

   ____

4. Же́ня лю́бит слу́шать му́зыку.

   ____

5. Ама́нда лю́бит ру́сское иску́сство.

   ____

6. Ри́мма Ю́рьевна лю́бит гуля́ть в саду́.

   ____

7. Мара́т Аза́тович забы́л ша́пку в командиро́вке (on a business trip).

   ____

8. Ка́тя и Оле́г о́чень лю́бят сла́дкое (sweets).

   ____

9. На́ши студе́нты из Аме́рики ча́сто хо́дят в музе́й.

   ____

 кулина́рная кни́га	 альбо́м по иску́сству	 биле́ты на вы́ставку	 шокола́дные конфе́ты	 мехова́я ша́пка
 биле́т на	 цветы́	 ру́сский	 биле́т на о́перу	 духи́

футбо́л		плато́к		

6.4 Упражне́ние Д. Чи́сла (Dates)

а. Number the dates below in chronological order.

____ четвёртое ию́ля	____ двена́дцатое октября́
____ девятна́дцатое октября́	____ пе́рвое января́
____ тридца́тое а́вгуста	____ восемна́дцатое сентября́
____ два́дцать пя́тое декабря́	____ трина́дцатое апре́ля
____ семна́дцатое ноября́	____ деся́тое декабря́
____ шесто́е ию́ня	____ девя́тое февраля́

б. Circle the three dates that are national holidays in the United States.

6.4 Упражне́ние Е. Како́е сего́дня число́?

Listen and write down the dates that you hear. You should use write the date as Russians do (DD.MM). One has been done for you as an example.

Образе́ц:

You hear: Како́е сего́дня число́?
Сего́дня трина́дцатое ма́я.

0. 13.05 ____________ 6. ____________
1. ____________ 7. ____________
2. ____________ 8. ____________
3. ____________ 9. ____________
4. ____________ 10. ____________
5. ____________ 11. ____________

6.4 Упражне́ние Ж. Writing Dates

а. A Russian friend of yours has written down a list of dates. Write the dates out as words, remembering that Russians write the day and then the month.

а. 07.01: ____________
б. 08.03: ____________
в. 04.11: ____________
г. 01.09: ____________
д. 12.06: ____________
е. 09.05: ____________

б. Use google.ru to figure out what these dates have in common. Write your conclusion as a sentence in English.

И́мя и фами́лия: ______________________ Число́: __________

____

____

6.4 Упражне́ние 3. Кто они́? Ско́лько им лет?

A group from Russia is visiting your campus and at a mixer they briefly introduce themselves. Listen to the introductions and write down each speaker's name and age.

а. As you listen to the introductions, pay attention to the difference in pronunciation between the two-syllable **меня́** in **Меня́ зову́т** and the one-syllable **мне** in the age construction.

И́мя	Во́зраст (age)	И́мя	Во́зраст (age)
1. __________	____	5. __________	____
2. __________	____	6. __________	____
3. __________	____	7. __________	____
4. __________	____		

б. Use the information above to write a sentence describing how old each person is (e.g., **Ма́ше трина́дцать лет**). Remember that when telling someone's age you will need to put the name of the person in the dative case. Write out the numbers as words.

1. ______________________________
2. ______________________________
3. ______________________________
4. ______________________________
5. ______________________________
6. ______________________________
7. ______________________________

в. Review the information you collected and complete the summary statements below.

- Са́мый ста́рший (oldest) челове́к (person) в гру́ппе — ______________.
- Са́мый мла́дший (youngest) челове́к в гру́ппе — ______________.

И́мя и фами́лия: ________________________________ Число́: ____________

6.5 Упражне́ние А. Хочу́ сде́лать пода́рок

Review this episode and fill in each blank with a correct form of the name **Аманда** or **Женя**. Pay careful attention to whether you are providing the subject of the sentence (and will need the nominative form) or whether you are providing an indirect object (and will need the dative form (**Ама́нд<u>е</u>** or **Же́н<u>е</u>**)). One has been done for you as an example.

0. ___Ама́нда___ хо́чет сде́лать ___Же́не___ пода́рок на Но́вый год.
1. ______________ ну́жен сове́т Ка́ти.
2. Ка́тя поняла́, что ______________ о́чень понра́вился ______________.
3. ______________ ду́мает, что ______________ — прия́тный молодо́й челове́к.
4. ______________ ду́мает купи́ть ______________ альбо́м по ру́сскому иску́сству.
5. Ка́тя говори́т ______________, что ______________ нра́вятся стихи́.
6. Ка́тя сове́тует ______________ купи́ть ______________ сбо́рник стихо́в.
7. ______________ спра́шивает, где в магази́не нахо́дится мирова́я литерату́ра.

6.5 Упражне́ние Б. Useful Phrases

Review this episode and find exact phrases in the text that you could use in the following situations.

1. You want to ask a close friend for advice:

   а. ____

   б. ____

2. You want to get a sales person's attention before asking a question:

   ____

3. You want to ask how much an item costs:

   ____

4. You want to note how something seems to you:

   ____

И́мя и фами́лия: ______________________________ Число́: ____________

6.5 Упражне́ние В. Third-Person Plural Verbs Without Subjects

In Уро́к 3 you encountered sentences like "**Здесь говоря́т по-ру́сски**," where the third- person plural form of the verb was used without an expressed subject. You can translate such sentences as, "One speaks Russian here" or "Russian is spoken here."

There are more sentences of this type in episodes 6.4 and 6.5. Come up with two English translations for each of the sentences below. Your first translation should use "one" or "people" as the subject, and your other translation should use a passive construction. The first one has been done for you as an example.

0. У нас отмеча́ют Рождество́.
   а. People celebrate Christmas in our country.
   б. Christmas is celebrated in our country.
1. Уже́ продаю́т ёлки.
   а. ______________________________
   б. ______________________________
2. Каки́е пода́рки да́рят на Но́вый год у вас до́ма?
   а. ______________________________
   б. ______________________________
3. Что ещё у вас да́рят де́тям?
   а. ______________________________
   б. ______________________________

И́мя и фами́лия: ______________________________ Число́: __________

6.5 Упражне́ние Г. Verbs That Take the Dative Case

а. Fill in the blanks below with the appropriate conjugated form of the Russian verb. All of the sentences are in the present tense, so you should use imperfective verbs.

1. Я ______________ [advise] роди́телям, каку́ю те́хнику (телеви́зоры, компью́теры, смартфо́ны) на́до купи́ть.
2. Роди́тели ча́сто ______________ [advise] мне бо́льше занима́ться.
3. Роди́тели мне ре́дко ______________ [phone].
4. Я ча́сто ______________ [phone] роди́телям.
5. Я ______________ [tell] роди́телям всё о заня́тиях в университе́те.
6. Роди́тели ______________ [tell] мне всё, что де́лают мои́ бра́тья и сёстры.
7. Мои́ сосе́ди по кварти́ре мне не ______________ [help]. То́лько я убира́ю кварти́ру.
8. Я ча́сто ______________ [help] сосе́дям убира́ть кварти́ру.
9. Мои́ преподава́тели хорошо́ ______________ [explain] все зада́ния.
10. Я ча́сто ______________ [explain] роди́телям, как рабо́тает но́вая те́хника.

б. Go back and read the sentences again, and circle the number of any sentence that describes your experience.

Имя и фами́лия: ______________________________ Число́: __________

6.5 Упражне́ние Д. Ка́тя помога́ет Оле́гу

Complete the following story about Katya and Oleg by making complete Russian sentences out of the elements between the slashes. Your sentences should be in the present tense (with the one exception noted). Write out all numbers as words.

1. Сего́дня / 28 / дека́брь / .

____

2. Ка́тя / идти́ / по / Большо́й проспе́кт / .

____

3. Она́ / звони́ть / Оле́г / и / спра́шивать / :

____

4. « Ты / уже́ / купи́ть [*past tense*] / роди́тели / пода́рок / на / Но́вый год / ? »

____

5. Оле́г / отвеча́ть / her /:

____

6. « Коне́чно, нет. / Что / ты / сове́товать / me / купи́ть? »

____

7. « В / магази́н / Эльдора́до / they are selling / краси́вый/ ла́мпы / . / Мо́жет быть, / подари́ть / them / но́вая / ла́мпа ? »

____

____

8. « Э́то / замеча́тельный / иде́я / . / How much / сто́ит ла́мпа / ? »

____

9. « Они́ / недорого́й /. »

____

10. « Ка́тя, / thank you / . / Ты / me / так / помога́ть / . »

____

И́мя и фами́лия: ______________________________ Число́: ______________

6.5 Упражне́ние Е. Personalized Sentences

Answer the following questions in complete sentences with information that is true for you. If you use proper names, be sure to decline them when necessary.

1. Кака́я му́зыка вам нра́вится?
____
2. Каки́е ру́сские писа́тели вам нра́вятся?
____
3. Кому́ вы ча́сто звони́те?
____
4. Кому́ вы ча́сто помога́ете?
____
5. Вы лю́бите расска́зывать анекдо́ты (funny stories)? Кому́ вы их расска́зываете?
____
____
6. Кому́ вы ча́сто пи́шете эсэмэ́ски?
____
7. Кто вам объясня́ет ру́сскую грамма́тику, когда́ у вас есть вопро́сы?
____

6.5 Упражне́ние Ж. Ма́ленькие слова́

Match each Russian phrase to its English equivalent.

1.	____	ско́ро	а.	one another; each other
2.	____	пора́	б.	at first
3.	____	друг дру́га	в.	sometimes
4.	____	как пра́вило	г.	from the word
5.	____	иногда́	д.	is needed
6.	____	снача́ла	е.	for example
7.	____	скажи́	ж.	soon
8.	____	от сло́ва	з.	it seems to me
9.	____	ну́жен	и.	how much; how many
10.	____	мне ка́жется	к.	it is time
11.	____	наприме́р	л.	tell (me)
12.	____	ско́лько	м.	as a rule

6.5 Упражне́ние З. Ситуа́ции

Review all of the episodes in this часть and write out the Russian phrase that you would say in each of the following situations. Note that all of these prompts are connected.

1. Ask a salesperson if she would be so kind as to tell you where the microwave ovens are.

   ____

2. Ask the salesperson how much this microwave oven costs.

   ____

3. You tell the salesperson that you want to give the microwave to your parents as a present.

   ____

4. The salesperson comments that they [your parents] will like the microwave.

   ____

5. She says it is a very nice present from a son.

   ____

6.5 Упражне́ние И. Фа́кты. Собы́тия. Лю́ди.

Amanda has some questions for Zhenya about the winter holidays in Russia. Read their exchange below, and then answer the questions in English.

You should be able to get the gist of this exchange without looking up any words, but use the following steps if you are struggling with the vocabulary:

1. If a word looks unfamiliar, try to read it aloud and pronounce it to yourself carefully. Is there a related English word?
2. If that does not help, keep reading and see if the larger context helps you figure out the word's meaning.
3. If you are still uncertain, underline the word, and continue working through the text until the end.
4. When you have finished with the text, go back to the underlined words, try to sound them out and use context to see if you can make sense of them.
5. Prioritize your underlined words, and look up the five that seem the most important. Try to fit the word's meaning into the context. Understanding the meaning of one key word may give you enough context to figure out other unfamiliar words.
6. If you still have questions, look up another five words that seem important, but limit your dictionary work to a total of the ten most important words.

Имя и фами́лия: ______________________ Число́: __________

Ама́нда: Объясни́ мне, пожа́луйста, почему́ Рождество́ в Росси́и отмеча́ют 7-го января́? И почему́ иногда́ говоря́т «ста́рый Но́вый год»? Что э́то тако́е?

Же́ня: Ама́нда, ты задаёшь мне о́чень тру́дные вопро́сы. Ви́дишь ли, у нас два календаря́: ста́рый календа́рь и но́вый календа́рь. Ра́ньше, до револю́ции, календа́рь был друго́й. Сейча́с Но́вый год и у нас, и у вас 1-го января́, э́то по но́вому григориа́нскому календарю́. А по ста́рому юлиа́нскому календарю́ Но́вый год на 13 дней по́зже (later) — 14-го января́, поэ́тому есть Но́вый год, кото́рый пра́зднуют все, и есть ста́рый Но́вый год, кото́рый почти́ никто́ не пра́зднует, о нём то́лько говоря́т. Ру́сская Правосла́вная (Orthodox) Це́рковь рабо́тает по ста́рому календарю́, и поэ́тому Рождество́ мы тепе́рь пра́зднуем 7 января́. А ра́ньше мы его́ не пра́здновали.

Ама́нда: Ду́маю, что поняла́. Спаси́бо, Же́ня.

Же́ня: Гла́вное, нача́ло января́ — одни́ пра́здники, поэ́тому нам уже́ сейча́с на́до ду́мать, кому́ что подари́ть!

1. What two questions does Amanda ask Zhenya?

   a. ______________________

   б. ______________________

2. What do you understand of Zhenya's answers to the two questions?

   a. ______________________

   ____

   b. ______________________

   ____

3. What do you understand of Zhenya's final comment?

   ____

   ____

Имя и фами́лия: ______________________________ Число́: ______________

Уро́к 6: часть 3

6.6 Упражне́ние А. Где ты бу́дешь встреча́ть Но́вый год?

а. Review the episode and fill in the blanks to summarize what each character (Amanda, Tony, Caitlin or Josh) is planning to do.

1. Два́дцать пя́того декабря́ ______________ пойдёт в рестора́н.
2. В конце́ декабря́ ______________ пое́дет домо́й в Ога́йо, потому́ что роди́тели уже́ купи́ли ей биле́т.
3. ______________ отмеча́ет не Рождество́, а Ха́нуку, и поэ́тому два́дцать пя́тое — обы́чный день.
4. Но́вый год ______________ бу́дет встреча́ть у Зо́и Степа́новны.
5. ______________ пойдёт на сквер Ки́рова смотре́ть большо́й салю́т.
6. ______________ пи́шет, что ______________ забу́дет ру́сский язы́к, е́сли пое́дет домо́й на кани́кулы (school break).
7. ______________ ещё не зна́ет, каки́е у неё бу́дут пла́ны.

б. Review the text again, and find the exact Russian expressions for the following English sentences.

1. How will you celebrate New Year's?

   ____

2. I will go home [to America].

   ____

3. We'll go to a restaurant.

   ____

4. What are you going to do at home?

   ____

5. You'll forget Russian!

   ____

6. Amanda, what are you going to be doing?

   ____

7. I'll definitely tell you.

   ____

6.6 Упражне́ние Б. Когда́ где вы бу́дете?

а. Listen to this phone message, and fill in the missing dates for the person's itinerary. As you listen the first time, you might want to write the dates in as numbers. When you listen the second time, write the numbers you hear out in words.

Елизаве́та Петро́вна, жаль, что вас сейча́с нет в о́фисе. Звони́т Андре́й. Я хочу́ рассказа́ть вам о свои́х пла́нах. Вы уже́ зна́ете, что __________ __________ я пое́ду в Росси́ю. Снача́ла я бу́ду в Москве́. __________ сентября́ я пое́ду в Ту́лу на конфере́нцию. Из Ту́лы я пое́ду в Орёл __________ сентября́. Я там бу́ду четы́ре дня. __________ я пое́ду в Курск. Э́то недалеко́. Там я бу́ду то́лько два дня. Из Ку́рска я пое́ду в Воро́неж. Там я бу́ду рабо́тать в университе́те неде́лю. Отту́да я пое́ду в Сара́тов __________ __________. __________ __________ я пое́ду обра́тно в Москву́. И __________ я уже́ бу́ду на рабо́те.

б. Re-read the text of the phone message and answer these questions.

1. Who is calling? ________________________
2. Who is the message for? ________________________
3. How long in total will the caller spend on the road? ________________________
4. This trip takes the traveler to cities that are mostly in what direction from Moscow? If you are unsure, consult maps.yandex.ru.

north / south / east / west

И́мя и фами́лия: ______________________________ Число́: ______________

6.6 Упражне́ние В. Сейча́с и́ли в бу́дущем (Now or in the Future)?

Read the following sentences and indicate whether the action of the sentence is happening in the present (P) or in the future (F). Then place a check mark in the appropriate column to indicate whether you think the character is likely to do this action or not. One has been done as an example.

		Present or Future	Мо́жет быть	Наве́рное нет
0.	Же́ня расска́жет роди́телям об Ама́нде.	F	✓	
1.	Ама́нда опозда́ет на экску́рсию в Эрмита́ж.			
2.	Дени́с пода́рит Зо́е Степа́новне цветы́ на день рожде́ния.			
3.	Джош пи́шет име́йлы мла́дшим бра́тьям Бе́ну и Дэ́виду.			
4.	Ке́йтлин пригото́вит Ри́мме Ю́рьевне у́жин.			
5.	Зо́я Степа́новна расска́зывает То́ни о поликли́нике (clinic), где она́ ра́ньше рабо́тала.			
6.	Ри́мма Ю́рьевна помо́жет Ке́йтлин написа́ть сочине́ние об исто́рии Каза́ни.			
7.	Джош покупа́ет биле́ты на рок-конце́рты.			
8.	Светла́на Бори́совна позвони́т Мара́ту Аза́товичу.			
9.	Ке́йтлин пока́жет Джо́шу фотогра́фии о́зера «Байка́л».			
10.	На́ши студе́нты ска́жут большо́е спаси́бо Ната́лье Миха́йловне и Дени́су в конце́ го́да.			

Имя и фами́лия: ______________________________ Число́: ____________

6.6 Упражне́ние Г. Вопро́сы и отве́ты

а. Listen to the audio and fill in the missing words. Check the spelling of any new words by referring to the Немно́го о языке́ section.

1. Когда́ мы бу́дем ____________? У меня́ сего́дня не́ было вре́мени ____________.
2. ____________, пожа́луйста, где у вас альбо́мы по ____________ иску́сству?
3. Кто тако́й Влади́мир ____________?
4. Я не могу́ ____________ окно́.
5. Когда́ ____________ конце́рт?
6. Когда́ письмо́ ____________ гото́во?
7. Я вам ____________, когда́ я ____________ его́.
8. Я сейча́с вам ____________.
9. Я сейча́с вам ____________. Он в ____________ часо́в.
10. Я сейча́с вам ____________.
11. Я сейча́с вам всё о нём ____________.
12. Я сейча́с ____________ вам у́жин.

б. The twelve lines above can be paired to form six short dialogues. The lines labeled 1-6 are the opening lines of the dialogues, and the lines labeled 7-12 are the responses. Fill in the blanks below with the numbers 7-12 to match up each opening line to its corresponding response.

1. ____
2. ____
3. ____
4. ____
5. ____
6. ____

И́мя и фами́лия: ______________________________ Число́: ____________

6.6 Упражнение Д. Future Statements

а. Make future imperfective statements out of the following dehydrated sentences. Since you will be working with imperfective actions, you will need to combine a future form of **быть** with the imperfective infinitive to indicate future time.

1. — / Что / ты / де́лать / по́сле / ле́кция / ?

   ____

2. — / Я / писа́ть / сочине́ние / в / библиоте́ка / .

   ____

3. — / what / у / ты / пла́ны / на за́втра / ?

   ____

4. — / Я / помога́ть / Ри́мма Ю́рьевна / гото́вить / пирожки́ / .

   ____

б. Make future perfective sentences out of the following dehydrated sentences. Remember that by conjugating a perfective verb, you are indicating future time.

1. Где / То́ни / ? / Уже́ / три / час/ . / Он / опозда́ть / на /экску́рсия / .

   ____

2. — / Я / сказа́ть / ты / , / е́сли / Оле́г / позвони́ть / и / пригласи́ть / я / на / фильм / .

   ____

   ____

3. Оле́г / сего́дня / по́сле / обе́д / показа́ть / ты / наш / го́род / .

   ____

4. Когда́ / роди́тели / быть / в / це́нтр /, / они́ / купи́ть / биле́ты / в / теа́тр / .

   ____

   ____

5. Э́то / тру́дный / текст / . / Преподава́тель / помо́чь / вы / поня́ть / it / .

   ____

6. Мы / рассказа́ть / them / о / наш / пла́ны / на / Но́вый год / .

   ____

6.6 Упражне́ние Е. Куда́ пойти́ (Where to Go)?

a. The people below have different needs and wants. Write sentences describing where each of them will go (**пойти́**) to do/get things that they want. Remember that destination phrases require **в/на** with the accusative case. One has been done for you as an example.

0. Я хочу́ шокола́д.

   Я пойду́ в магази́н купи́ть шокола́д.

1. Ама́нда хо́чет бе́гать. [*Hint: A gym or a stadium would have a running track.*]

   ____

2. Мы хоти́м поу́жинать.

   ____

3. Студе́нты хотя́т посмотре́ть фильм.

   ____

4. Ты хо́чешь пла́вать.

   ____

5. Вы хоти́те посмотре́ть матч.

   ____

б. Our characters are planning to see some cultural landmarks. Using the cues provided, write a sentence indicating the city to which each character will travel (**пое́хать**). If you are unfamiliar with the locations of these landmarks, type them into google.ru to find out in which city they are located. One has been done for you as an example.

0. Биг-Бен — Ната́лья Миха́йловна

   Ната́лья Миха́йловна пое́дет в Ло́ндон.

1. Эрмита́ж — Оле́г и То́ни

   ______________________.

2. Музе́й декабри́стов — Ке́йтлин

   ______________________.

3. Третьяко́вская галере́я — Ама́нда и Мони́к

   ______________________.

4. Ба́шня Сююмби́ке — я

   ______________________.

И́мя и фами́лия: ______________________________ Число́: ____________

6.7 Упражне́ние А. Что мне де́лать?

Review this episode and complete this summary of events, filling in the blanks with words from the word bank. There are two extra verbs.

сове́тует	**пое́дет**	**тру́дно**
пойду́	**встреча́ть**	**пригласи́ть**
ви́дят	**спроси́л**	**пра́здник**
пла́ны	**ска́жет**	**ска́жут**

Дени́с неда́вно написа́л Ама́нде эсэмэ́ску и ______________, каки́е у Ама́нды ______________ на Но́вый год. Ама́нда ду́мает, что Дени́с спра́шивает о её пла́нах, потому́ что он хо́чет её ______________ в Москву́. Ама́нда не зна́ет, что́ ему́ отвеча́ть. Ама́нда спра́шивает Ка́тю, что ей де́лать. Ка́тя ______________ Ама́нде пое́хать в Москву́ на ______________, потому́ что там бу́дет о́чень ве́село. Ама́нда говори́т, что она́ ______________, е́сли Дени́с пригласи́т её. Но тогда́ она́ не зна́ет, что она́ ______________ Же́не, е́сли он пригласи́т её к себе́ домо́й на 31-ое декабря́. Ка́тя понима́ет ситуа́цию Ама́нды, но она́ зна́ет, как ______________ купи́ть биле́т на по́езд в после́днюю мину́ту, осо́бенно пе́ред (before) Но́вым го́дом. Ка́тя и Ама́нда смо́трят на сайт tutu.ru и ______________, что биле́тов уже́ нет. В конце́ разгово́ра Ама́нда пи́шет Дени́су, что она́ бу́дет ______________ Но́вый год в Пи́тере.

6.7 Упражне́ние Б. Пла́ны Джо́ша

Read the story about Josh's plans and circle the appropriate verb. Use the English version to help you understand the larger context. Some variations may be possible. Be ready to explain your choices.

а. *Tomorrow, Josh will spend the whole morning reading an article about the economy of Russia during the final years of the Soviet period.*

За́втра Джош всё у́тро [**бу́дет чита́ть / прочита́ет**] статью́ об эконо́мике Росси́и в после́дние го́ды Сове́тского пери́ода.

б. *He will read and take notes, because there will be a question on this topic on the test.*

Он [**бу́дет чита́ть / прочита́ет**] и [**бу́дет писа́ть / напи́шет**] конспе́кты, потому́ что на контро́льной рабо́те бу́дет вопро́с на э́ту те́му.

в. *As soon as he has read the article, he will call Anton and tell him that he is ready to head out to eat lunch.*

Как то́лько он [**бу́дет чита́ть / прочита́ет**] статью́, он [**бу́дет звони́ть / позвони́т**] Анто́ну и [**бу́дет говори́ть / ска́жет**] ему́, что он гото́в пойти́ пообе́дать.

г. *They agreed that they would go to lunch at a café that is not far from "The House of Film."*

Они́ договори́лись, что вме́сте [**бу́дут идти́ / пойду́т**] обе́дать в кафе́, кото́рое нахо́дится недалеко́ от «До́ма кино́».

д. *While they are having lunch, Anton will tell Josh about the film that they will see after lunch.*

Когда́ они́ [**бу́дут обе́дать / пообе́дают**], Анто́н [**бу́дет расска́зывать / расска́жет**] Джо́шу о фи́льме, кото́рый они́ бу́дут смотре́ть по́сле обе́да.

И́мя и фами́лия: ____________________ Число́: ____________

6.7 Упражне́ние В. Что бу́дет, е́сли (What Will Happen If) ...

Read the beginning of each sentence and circle the most logical conclusion. Then determine whether the verb in the first part of the sentence is in the present (P) or future (F) tense, and write that letter above the verb. Finally, translate the entire sentence into English, looking up any words that you do not recognize.

1. Е́сли у То́ни бу́дут вопро́сы о програ́мме,
   а. он позвони́т Дени́су.
   б. Ната́лья Миха́йловна посове́тует ему́ ложи́ться спать ра́но.

   ____

2. Е́сли Же́ня пригласи́т Ама́нду на конце́рт,
   а. она́ забу́дет флёшку.
   б. она́ обяза́тельно пойдёт.

   ____

3. Е́сли Джош пригото́вит ко́фе,
   а. Светла́на Бори́совна сде́лает яи́чницу.
   б. мы пода́рим ему́ альбо́м по иску́сству.

   ____

4. Как то́лько Ке́йтлин зако́нчит сочине́ние,
   а. Ри́мма Ю́рьевна ей помо́жет.
   б. она́ напи́шет име́йл роди́телям.

   ____

5. Как то́лько у Мара́та Аза́товича бу́дет свобо́дное вре́мя,
   а. он помо́жет Ри́мме Ю́рьевне убира́ть кварти́ру.
   б. он пойдёт на футбо́льный матч.

   ____

6. Когда́ я бу́ду в Росси́и,
   а. я бу́ду жить в ру́сской семье́.
   б. мне понра́вится смартфо́н.

   ____

7. Как то́лько ты мне объясни́шь но́вую грамма́тику,
   а. я куплю́ сувени́ры мои́м друзья́м.
   б. я начну́ де́лать дома́шнее зада́ние.

   ____

И́мя и фами́лия: ______________________________ Число́: ____________

6.7 Упражнение Г. Нача́ло и коне́ц предложе́ния

Match the first half of each sentence to a logical conclusion. More than one match may be possible. Notice that many sentences feature **как то́лько** (as soon as).

____	1. Я тебе́ позвоню́,...	а.	как то́лько я зако́нчу э́тот разгово́р.
____	2. Е́сли Же́ня пригласи́т Ама́нду на конце́рт,...	б.	когда́ я пое́ду в Росси́ю.
____	3. Е́сли ты пригото́вишь ко́фе,...	в.	как то́лько роди́тели пойду́т на рабо́ту.
____	4. Я вам помогу́,...	г.	я обяза́тельно вы́пью ча́шку.
____	5. Как то́лько ты мне объясни́шь но́вую грамма́тику,...	д.	я начну́ де́лать упражне́ния.
____	6. Я куплю́ сувени́ры друзья́м,...	е.	е́сли у меня́ бу́дут вопро́сы.
____	7. Я тебе́ позвоню́ и расскажу́, что случи́лось,...	ж.	она́ обяза́тельно пойдёт.

6.7 Упражне́ние Д. Вот така́я ситуа́ция!

What could you say in the following situations? Select a command form of a verb that you could use, and then complete the details of your request. One has been done for you as an example.

0. You stop a stranger to ask where Bolshoi Prospect is.

   Скажи́те, пожа́луйста, где Большо́й проспе́кт?

1. You have come across a word in a text that you do not understand. Show it to your instructor and ask her to explain what it means.

   ____

2. You want your friends to tell you everything about their trip (пое́здка).

   ____

3. Ask your classmates for advice on what you should give your instructor as a present.

   ____

4. You tripped and fell and are having trouble getting up.

   ____

5. Ask a sales clerk in a book store to show you where the world literature is.

   ____

Имя и фами́лия: ______________________________ Число́: ____________

6.7 Упражне́ние Е. Что мне де́лать?

Translate the following questions into English. Then indicate whether the statement would be more likely asked by a **тури́ст (Т)** or a **студе́нт (С)**.

1. Что мне посмотре́ть в Каза́нском кремле́?

   ______________________________ Кто? ____

2. В како́м университе́те в Росси́и нам учи́ться?

   ______________________________ Кто? ____

3. В како́й день нам пойти́ в Истори́ческий музе́й?

   ______________________________ Кто? ____

4. Что им де́лать, е́сли им не нра́вятся э́ти заня́тия?

   ______________________________ Кто? ____

5. Что мне сфотографи́ровать в Москве́?

   ______________________________ Кто? ____

6.8 Упражне́ние А. Что нам на́до купи́ть?

Review the episode and fill in the blanks below with appropriate words from the word bank. There are three extra words.

помо́жет	**ну́жно**	**че́рез**
пригласи́т	**спра́шивает**	**объясня́ет**
Зо́е Степа́новне	**пирожки́**	**мо́жно**
грибы́	**Зо́я Степа́новна**	**помо́жешь**

Зо́я Степа́новна ____________ То́ни, «Ты ____________ мне купи́ть проду́кты?» ____________ ну́жно купи́ть проду́кты, потому́ что ____________ три дня бу́дет Но́вый год. То́ни отвеча́ет, что он, коне́чно, ей ____________. Но он не зна́ет, что́ им ____________ купи́ть. Зо́я Степа́новна уже́ написа́ла спи́сок проду́ктов (a list of groceries). То́ни спра́шивает Зо́ю Степа́новну, «Вы бу́дете гото́вить ____________?» Зо́я Степа́новна отвеча́ет, что бу́дет гото́вить пирожки́ с груба́ми. То́ни ду́мает, что тогда́ ну́жно купи́ть ____________, но Зо́я Степа́новна ____________ ему́, что не на́до их покупа́ть, потому́ что у неё есть сушёные грибы́.

Имя и фами́лия: ______________________ Число́: ____________

6.8 Упражне́ние Б. Проду́кты

Each box contains four food items. Cross out the word that is not like the others.

смета́на хлеб бу́лочка пирожки́	анана́с я́блоки капу́ста виногра́д	свёкла морко́вь карто́шка я́йца	петру́шка мандари́ны укро́п огуре́ц
пиро́жные карто́шка капу́ста помидо́ры	грибы́ бана́ны анана́с я́блоки	ма́сло сыр моро́женое лук	торт мя́со моро́женое пиро́жные

6.8 Упражне́ние В. Personalized Questions

Use the vocabulary from Диало́г 2 of this episode to respond to the following prompts. Use complete sentences when answering questions.

1. Что вы лю́бите есть (to eat)?

   ____

2. Что вы не лю́бите есть?

   ____

3. Каки́е проду́кты вы обы́чно покупа́ете?

   ____

4. Я никогда́ не покупа́ю ...

   ____

5. Я ча́сто пью ...

   ____

6. List at least four ingredients you might use in the following dishes:

   Овощно́й (vegetable) суп:

   а. ____________ б. ____________

   б. ____________ г. ____________

   Фрукто́вый сала́т:

   а. ____________ б. ____________

   б. ____________ г. ____________

И́мя и фами́лия: ______________________________ Число́: ____________

6.8 Упражне́ние Г. Кому́ ну́жно э́то сде́лать?

Decide which character in our story needs to do the following activities, and write the appropriate "needs to" phrase in the blank. Remember that in Russian, one expresses the idea of "someone needs to do something" with the person's name in the dative case and the modal **ну́жно**.

1. ______________________ купи́ть небольшо́й пода́рок Ама́нде.
2. ______________________ позвони́ть вну́ку и узна́ть его́ пла́ны на Но́вый год.
3. ______________________ написа́ть име́йл роди́телям, что она́ гото́ва пое́хать домо́й на пра́здники.
4. ______________________ пригото́вить ко́фе.
5. ______________________ пойти́ в библиоте́ку занима́ться.
6. ______________________ помо́чь Зо́е Степа́новне купи́ть проду́кты.
7. ______________________ пое́хать в командиро́вку в Сама́ру.
8. ______________________ прочита́ть сочине́ния ученико́в (of her pupils) и написа́ть коммента́рии.

6.8 Упражне́ние Д. Ситуа́ции

Review all of the episodes in this часть and think about what you would say in the following situations. Note that all of these prompts are connected and form a conversation that you might have with a male Russian student who is visiting your campus. You and the student will speak to each other using **ты**.

1. He asks what plans you have for January.

   ____

2. Tell him that you will go to Moscow on January 2nd.

   ____

3. He says that his friend Igor' studies at the conservatory in Moscow.

   ____

4. He says that Igor' can help you when you will be in Moscow.

   ____

5. He suggests that you need to go to the conservatory to a concert of Russian music.

   ____

6. He says that you will like his friend Igor'.

   ____

И́мя и фами́лия: ______________________ Число́: ____________

6.8 Упражне́ние Е. Перево́д (Reviewing Aspect Use in the Past Tense)

Review all of the episodes in this unit, and then read the following English story. Translate the English story into Russian, remembering to translate ideas, not word for word.

"A Hard Day"

____

1. On Sunday Josh studied all evening.

   ____

2. He read a lot about American art,

   ____

3. because on Monday he had to (ну́жно бы́ло) tell [*his*] group about Andy Warhol (Э́нди Уо́рхол).

   ____

4. On Monday morning Josh got up late.

   ____

5. He got dressed quickly, brushed his teeth, and headed to class.

   ____

6. He didn't eat breakfast.

   ____

7. He forgot on the nightstand a small picture book (альбо́м) on American art.

   ____

8. He wanted to show it to Irina Alekseevna ...

   ____

9. ... and to explain to her who Andy Warhol was (кто тако́й Э́нди Уо́рхол).

   ____

10. In class Josh talked a long time.

    ____

11. The other students understood him well, ...

    ____

12. ... but without the picture book (без альбо́ма) Irina Alekseevna did not understand him.

    ____

6.8 Упражне́ние Ж. Фа́кты. Собы́тия. Лю́ди.

G. Oster wrote a series of humorous sketches for children called «Котёнок по и́мени Гав» ("A Kitten Named Bow-Wow"). You can find one such sketch, «Меня́ нет до́ма», online at mezhdunami.dropmark.com.

а. Before reading, look at the first illustration that depicts a **котёнок** and a **щено́к**. Both of these words end with the suffix –**енок,** which is used for baby animals. Use the analogy to fill in the blanks in the English equivalent.

ко́шка — котёнок : соба́ка — щено́к

__________ is to __________, just as __________ is to

__________.

б. Now read the sketch and answer the two questions below in English. Remember that the logic of the solution may not fit an adult's perspective. The English for some unfamiliar words used in the sketch are given below.

1. What is the essential problem?

____

____

2. What is the proposed solution?

____

____

Поле́зные слова́:

- двор – courtyard [*of an apartment building*]
- идти́ в го́сти – to go visiting
- по доро́ге – along the way
- придётся – we will have to ...
- подождём (подожда́ть) – will wait (to wait)
- вернётся (верну́ться) – will return (to return)

И́мя и фами́лия: ______________________________ Число́: ______________

Уро́к 7: часть 1

7.1 Упражне́ние А. Традицио́нные ру́сские блю́да

Review this episode and label the food items pictured below in Russian. Practice saying the words aloud, and pay attention to spelling as you write.

 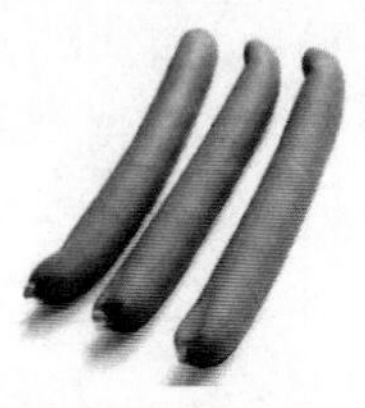 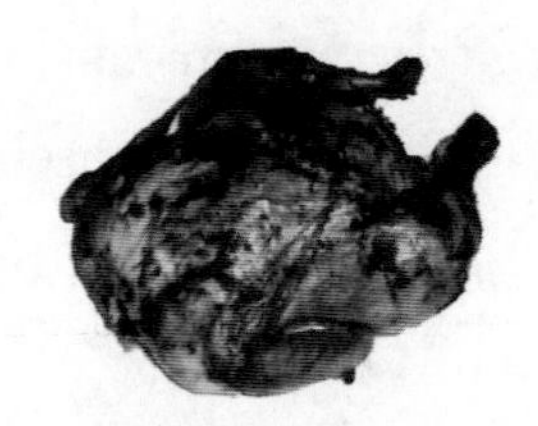 

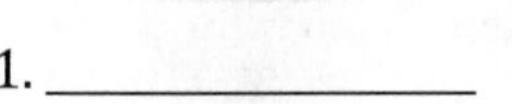

1. ______________ 2. ______________ 3. ______________ 4. ______________

5. ______________ 6. ______________ 7. ______________ 8. ______________

9. ______________ 10. ______________ 11. ______________ 12. ______________

Ймя и фами́лия: ______________________________ Число́: ______________

7.1 Упражне́ние Б. Стереоти́пы

In Диало́г 1 of this episode, our students reveal some stereotypical ideas about foods that Russians eat. What stereotypical ideas about American food do you think Russians might have? Look at the list of American foods, and place a check mark next to three that you think Russians most strongly associate with Americans.

____ барбекю́ ____ попко́рн ____ чизке́йк

____ бра́уни ____ сму́зи ____ чи́ли

____ га́мбургер ____ хот-дог ____ пи́цца

____ чи́збургер

7.1 Упражне́ние В. Ру́сские блю́да

Place a check mark in the appropriate column to indicate the category in which each food item belongs.

	супы́	сала́ты	сла́дкое	напи́тки
1. щи				
2. винегре́т				
3. пече́нье				
4. квас				
5. окро́шка				
6. конья́к				
7. моро́женое				
8. оливье́				
9. молоко́				
10. борщ				

И́мя и фами́лия: ______________________________ Число́: ____________

7.1 Упражне́ние Г. Learning About Russian Food

Some Russian dishes have a core set of ingredients and then some optional ingredients (e.g., think about how different chili is across the United States). Look at the **реце́пты** (recipes) collected at mezhdunami.dropmark.com and describe in English what you are likely to get if you were to order these items in a restaurant. Look at the pictures and text on the general overview page as well as the two **реце́пты** specified below. Which ingredients are common to both recipes? You may need to look up some words, but try to use the pictures and context to figure out as much as you can.

1. борщ
   - реце́пт 1: борщ вегетариа́нский
   - реце́пт 2: борщ мясно́й

   ____

   ____

2. щи
   - реце́пт 1: щи из све́жей капу́сты
   - реце́пт 2: щи из све́жей капу́сты с зе́ленью

   ____

   ____

3. окро́шка
   - реце́пт 1: окро́шка кефи́рная
   - реце́пт 2: окро́шка овощна́я

   ____

   ____

4. сала́т оливье́
   - реце́пт 1: оливье́ по-сове́тски
   - реце́пт 2: оливье́ по стари́нному реце́пту

   ____

   ____

5. винегре́т
   - реце́пт 1: винегре́т с солёным огурцо́м
   - реце́пт 2: винегре́т по-ру́сски

   ____

   ____

И́мя и фами́лия: ______________________________ Число́: ____________

7.1 Упражне́ние Д. Кто что ест?

а. You are working with some Russian students visiting your university and need to get information about their food preferences. Listen to what they tell you and take notes in English about what they usually/never eat, what they like/dislike, and any special dietary needs that they may have.

1. Алёша
____
____
2. Ле́на
____
____
3. Мари́на
____
____
4. Ко́стя
____
____

б. Using the information you have just learned, decide who should get the following dishes. For example, you might suggest **га́мбургер с сы́ром** to someone that you know eats meat rather than to someone who tells you that they are a vegetarian.

1. Мя́со барбекю́ и кол-слоу (капу́стный сала́т)
______________________________.
2. Зелёный (green) сала́т с авока́до
______________________________.
3. Га́мбургер с сы́ром и карто́фель-фри (french fries)
______________________________.
4. Сала́т «Це́зарь» с кра́сной ры́бой
______________________________.
5. Шокола́дное пиро́жное «бра́уни»
______________________________.

И́мя и фами́лия: ______________________________ Число́: ____________

7.1 Упражне́ние Е. С чем э́ти пирожки́?

Пирожки́ in Russia can come with a dizzying variety of fillings. Complete the following sentences by putting the word provided in the instrumental case. Then circle the number of any sentences with **пирожки́** that you would also like to try.

1. Я хочу́ попро́бовать пирожо́к с ______________. [мя́со]
2. Я хочу́ попро́бовать пирожо́к с ______________. [ры́ба]
3. Я хочу́ попро́бовать пирожо́к с ______________. [карто́шка]
4. Я хочу́ попро́бовать пирожо́к с ______________. [капу́ста]
5. Я хочу́ попро́бовать пирожо́к с ______________. [грибы́]
6. Я хочу́ попро́бовать пирожо́к с ______________. [рис]
7. Я хочу́ попро́бовать пирожо́к с ______________ [лук] и ______________. [яйцо́]
8. Я хочу́ попро́бовать сла́дкий (sweet) пирожо́к с ______________. [морко́вь]
9. Я хочу́ попро́бовать сла́дкий пирожо́к с ______________. [варе́нье]
10. Я хочу́ попро́бовать сла́дкий пирожо́к с ______________. [я́блоки]

Имя и фами́лия: ______________________________ Число́: ____________

7.1 Упражне́ние Ж. Eating and Drinking

а. Make complete Russian sentences out of the elements between the slashes. Since you are making statements about current, habitual actions, your sentences should all be in the present tense.

1. Я / пить / чай / с / мёд / .
   ______________________________.
2. Мой / сосе́д / пить / ко́фе / с / молоко́ / и / са́хар / .
   ______________________________.
3. Мой / роди́тели / пить / холо́дный / чай / с / лимо́н / и / са́хар / .
   ______________________________.
4. Мой / брат / пить / то́лько / ко́ла / да́же / у́тром / .
   ______________________________.
5. Мой / сестра́ / пить / сок / и́ли / вода́ / .
   ______________________________.
6. Я / есть / пи́цца / с / сыр / и / с / колбаса́ / .
   ______________________________.
7. Мой / сосе́д / есть / пи́цца / с / мя́со / .
   ______________________________.
8. Мой / роди́тели / есть / сала́ты / с / грибы́ / .
   ______________________________.
9. Мой / брат / есть / то́лько / мя́со / с / карто́шка / .
   ______________________________.
10. Мой / сестра́ / не / есть / мя́со / .
   ______________________________.

б. Now go back and re-read the sentences you created. Circle the number of any sentence that is true for you, your friends, or your family members.

И́мя и фами́лия: ______________________________ Число́: __________

7.1 Упражне́ние 3. Но́вые знако́мства

The characters in our story have become acquainted with a lot of new people this year. Complete the sentences below with the names of at least two people that the given character knows. Use **и́мя** or **и́мя-о́тчество** for each acquaintance, as we have not yet covered how **фами́лии** (last names) decline. Try to use a variety of names by focusing on the acquaintances that are unique to each person. One has been done for you.

В э́том году́ в Росси́и ...

0. Джош познако́мился со Светла́ной Бори́совной и Дени́сом.
1. Дени́с познако́мился с ______________________________.
2. Ама́нда познако́милась с ______________________________.
3. То́ни познако́мился с ______________________________.
4. Ке́йтлин познако́милась с ______________________________.

7.2 Упражне́ние А. Ситуа́ции

Social situations like those shown in this episode often require a very specific turn of phrase. Look back through the episode and write down the exact phrase from the text that is used in each situation.

As the host:

1. Invite your guests into your apartment.

   ______________________________.

2. Invite your guests to take off their coats.

   ______________________________.

3. Invite everyone to sit at the table.

   ______________________________.

4. Offer a toast on the occasion of everyone becoming acquainted.

   ______________________________.

5. Offer a guest some fish.

   ______________________________.

6. Tell your guests to eat up.

   ______________________________.

7. Offer to serve a guest some salad.

   ______________________________.

As a guest:

1. Wish your host a happy upcoming holiday.

   ______________________________.

2. Compliment your host on how wonderful everything smells.

   ______________________________.

3. Ask if you can help with anything.

   ______________________________.

4. Ask someone to pass you the salad.

   ______________________________.

5. Offer a toast to the hostess.

   ______________________________.

As either a guest or the host:

1. Apologize and ask someone for his/her name and patronymic.

   ______________________________.

2. Wish everyone a Happy New Year.

   ____

7.2 Упражне́ние Б. Тост То́ни

Tony is proud of having made a toast on New Year's Eve and wants to share it with his English-speaking friends on Facebook. Help complete the translation of his toast.

I want ____________ a toast to our hostess Zoya Stepanovna, who ____________ makes *pirozhki* ____________, but who answers ____________ ____________ ____________ with ____________ patience. She is ____________ my grandmother, and ____________ far from Texas, I feel at home. To your ____________, Zoya Stepanovna!

7.2 Упражне́ние В. Поздравля́ю с Но́вым го́дом!

Review this episode and match the beginning of each sentence with its conclusion.

____ 1.	Джош встреча́ет Но́вый год…	а.	в Теха́се живу́т одни́ ковбо́и.
____ 2.	И́горь Влади́мирович открыва́ет буты́лку вина́…	б.	и предлага́ет пе́рвый тост «За ста́рый год и за на́ше знако́мство».
____ 3.	То́ни открыва́ет дверь,…	в.	ме́жду Ли́зой и Зо́ей Степа́новной.
____ 4.	И́горь Влади́мирович и Еле́на Никола́евна —…	г.	поздравля́ет всех с наступа́ющим Но́вым го́дом.
____ 5.	Ли́за ду́мает, что…	д.	потому́ что Зо́я Степа́новна занята́ на ку́хне.
____ 6.	В двена́дцать часо́в по телеви́зору го́сти…	е.	в Ирку́тске в скве́ре Ки́рова с друзьями́.
____ 7.	Ю́рий Никола́евич прихо́дит (arrives) и…	ж.	уви́дят Кра́сную пло́щадь и услы́шат кура́нты Моско́вского Кремля́.
____ 8.	То́ни встреча́ет Но́вый год…	з.	у Зо́и Степа́новны.
____ 9.	За столо́м То́ни сиди́т…	и.	роди́тели Дени́са.

Имя и фами́лия: ____________________ Число́: __________

7.2 Упражне́ние Г. Holiday Greetings and Toasts

Using the cues provided, provide the holiday greetings below. You will need to use the instrumental case in each greeting, but remember that the names of Russian holidays often include a genitive of linkage that will not change form. Once you have all of the greetings, write the date on which you could say them in the right-hand column. One has been done for you. If you are uncertain when these Russian holidays are, check timeanddate.com/holidays/russia/.

Greeting	Date
0. С / день Побе́ды (literally, Day of Victory) С днём Побе́ды!	девя́того ма́я
1. С / Но́вый / год __________	__________
2. С / Междунаро́дный / же́нский / день __________	__________
3. С / день рожде́ния (day of birth) __________	[*use your birthday*] __________
4. С / Рождество́ __________	__________
5. С / Пра́здник Весны́ и Труда́ (Holiday of Spring and Labor) __________	__________

И́мя и фами́лия: ______________________________ Число́: ____________

7.2 Упражне́ние Д. Друзья́ То́ни

Tony is telling Denis' uncle Yurii Nikolaevich about his family and friends back in Texas. Make complete Russian sentences out of the elements between the slashes to help Tony convey this information. Make sure that adjectives agree with their nouns in case, number and gender. Note that some nouns are plural.

1. В / коне́ц / ноя́брь / мой / брат / познако́миться / с / но́вый / де́вушка / .

   ____

   ____

2. Она́ / ещё / не / знако́м / с / наш / роди́тели / .

   ____

3. Мой / подру́га / Эле́на / рабо́тать / в / университе́т / с / мексика́нский / студе́нты / .

   ____

   ____

4. В / нача́ло / дека́брь / она́ / познако́миться / с / краси́вый / молодо́й / челове́к / .

   ____

   ____

5. Мой / друзья́ / Та́йлер и Джеф / сейча́с / жить / ря́дом с / плохо́й / музыка́нты / .

   ____

   ____

6. Они́ / хоте́ть / купи́ть / кварти́ра /, / кото́рый / находи́ться / ря́дом / с / большо́й / парк / и́ли / интере́сный / музе́й / .

   ____

   ____

И́мя и фами́лия: ____ Число́: ______________

7.2 Упражне́ние Е. Short-Form Adjectives знако́м с and похо́ж на

Complete the following sentences with the correct short-form adjective and its accompanying preposition. The case ending of the noun following the blank will help you decide which one is necessary. Remember that **знако́м с** (acquainted with) takes the instrumental case, while **похо́ж на** (resembles) takes the accusative case. Once you have selected the correct short-form adjective, make sure that it agrees grammatically with the subject of the sentence.

1. Оле́г и Же́ня ______________ ____ Ама́ндой. Ама́нда снача́ла ду́мала, что Же́ня ______________ ____ Оле́га, но пото́м она́ поняла́, что они́ совсе́м ра́зные.

2. Джош ещё не ______________ ____ Со́ней Черны́х, но он ви́дел её фотогра́фию, и поэ́тому он зна́ет, что Со́ня о́чень ______________ ____ Светла́ну Бори́совну.

3. В гру́ппе, в кото́рой у́чится Ке́йтлин, все америка́нские студе́нты ______________ друг ____ дру́гом. Их преподава́тель Ми́ла ду́мает, что Грег, Пи́тер и Бо́бби ______________ друг ____ дру́га. А Ке́йтлин понима́ет, что э́то не совсе́м так.

И́мя и фами́лия: ____ Число́: ____________

7.2 Упражне́ние Ж. Ама́нда в ноябре́. Но́вые глаго́лы

Fill in the blanks with the correct past-tense forms of the perfective verbs provided in the word bank. You will not use all the verbs provided, and you will need to use one verb twice.

уви́деть	**объясни́ть**	**откры́ть (x2)**
закры́ть	**вы́пить**	**поздра́вить**
съесть	**услы́шать**	**сде́лать**
посове́товать	**узна́ть**	**реши́ть**

В конце́ ноября́ в четве́рг ве́чером Ама́нда была́ в свое́й (her own) ко́мнате в общежи́тии. В ко́мнате бы́ло о́чень жа́рко (hot). Она́ ______________ уче́бник, кото́рый она́ чита́ла, вста́ла и ______________ окно́. В э́ту мину́ту она́ ______________ стук (a knock) в дверь. Она́ пошла́ открыва́ть. Когда́ она́ ______________ дверь, она́ ______________ на поро́ге (on the threshold) Ната́лью Миха́йловну. Ама́нда о́чень удиви́лась (was surprised).

Оказа́лось (it turned out), что Ната́лья Миха́йловна была́ в Петербу́рге, потому́ что она́ выступа́ла (was presenting) на конфере́нции в Европе́йском университе́те. На конфере́нции она́ ______________, что Ама́нда не ______________ презента́цию на семина́ре по ру́сскому иску́сству, и она́ ______________ пойти́ в общежи́тие и спроси́ть, как у Ама́нды дела́. Ама́нда ______________ Ната́лье Миха́йловне, что случи́лось и сказа́ла, что она́ сде́лает презента́цию на сле́дующем (next) семина́ре. Ната́лья Миха́йловна была́ ра́да, что у Ама́нды всё тепе́рь в поря́дке. Ната́лья Миха́йловна ______________ Ама́нду с наступа́ющим америка́нским пра́здником «Днём благодаре́ния» (Thanksgiving) и ушла́ (left).

7.3 Упражне́ние А. Кем вы хоти́те стать?

а. Comprehension: Read this episode and complete the following tables with Russian phrases from the text. If the information is not given in the text, write **мы не зна́ем** in that cell.

	current profession and where s/he works	profession before the fall of the Soviet Union	interests and how s/he came into his/her profession
И́горь Влади́мирович			
Еле́на Никола́евна			
Ю́рий Никола́евич			

	Possible professions	Current and/or previous interests
То́ни		
Ли́за		

б. Vocabulary Building: The word **рабо́та** is at the center of this word cluster. Fill in the five surrounding boxes with exact words and phrases from the text that relate to working (e.g., intern, salary, receive pay, to find work, etc.)

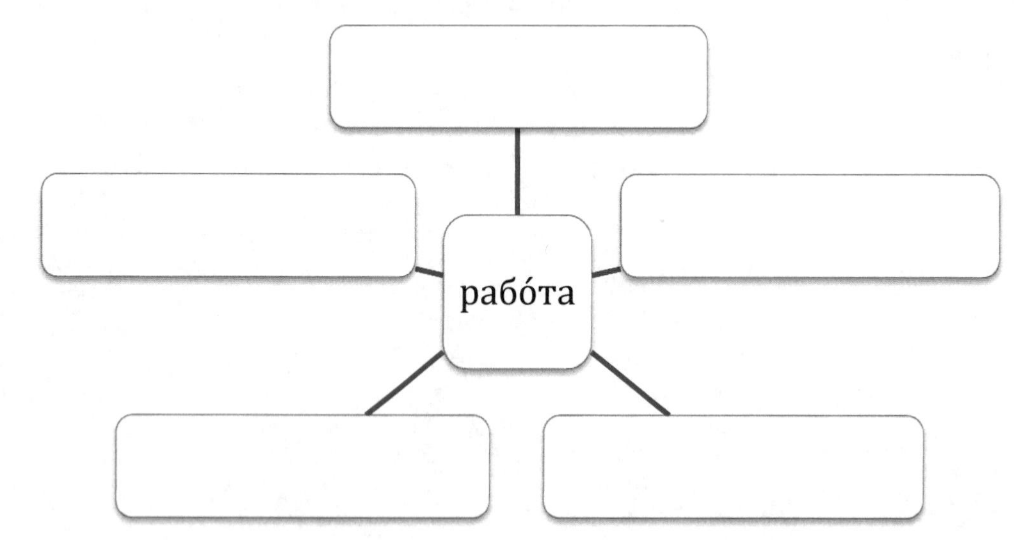

в. Noticing Question Words: Find the following phrases in the text and write in the question word that starts each one. Then translate the entire question into English.

1. ______________ вы хоти́те стать?

____.

2. ______________ вы рабо́таете?

____.

3. ______________ вы у́читесь в Росси́и?

____.

4. ______________ ты зна́ешь, что ты не хо́чешь быть музыка́нтом?

____.

5. ______________ мы бу́дем есть торт?

____.

г. Unpacking Cultural References: Denis' father notes that aspects of the work world changed **по́сле распа́да Сове́тского Сою́за** (after the collapse of the Soviet Union). Use the links at mezhdunami.dropmark.com to find out the year (and month, if possible) that these events happened during the final years of the Soviet Union. Write the dates in English in the blanks provided.

1. ______________ Leonid Brezhnev dies.
2. ______________ Mikhail Gorbachev becomes General Secretary of the Communist Party of the Soviet Union.
3. ______________ The policies of *glasnost'* (openness) and *perestroika* (restructuring) are initiated in the Soviet Union.
4. ______________ The nuclear meltdown at Chernobyl' starts.
5. ______________ *Doctor Zhivago*, Boris Pasternak's long banned novel, is first published in the Soviet Union.
6. ______________ The Berlin Wall separating East and West Berlin falls.
7. ______________ Boris Yeltsin becomes the first democratically elected President of the Russian SFSR, one of the fifteen republics that make up the USSR.
8. ______________ A group of pro-Soviet hardliners tries to stop Gorbachev's reforms and stages a short-lived *putsch* or *coup d'etat*.
9. ______________ The Soviet Union ceases to exist as a country.

Ймя и фами́лия: ______________________ Число́: __________

7.3 Упражне́ние Б. Кем вы хоти́те стать?

Below you will find a summary of this episode that is divided into two parts, each with its own word bank. All the words are given in their dictionary form, so you will need to put them in the correct form for the given context. As always, read carefully before deciding which word is missing.

скри́пка	**хи́мик**	**мечта́ть**
стажёр	**му́зыка**	**ду́мать**
	занима́ться	

То́ни ________________ стать диплома́том и́ли поли́тиком, а его́ ба́бушка ________________, что он когда́-нибудь ста́нет президе́нтом США. Ле́том он рабо́тал стажёром в Вашингто́не. ________________ — студе́нт, кото́рый рабо́тает и́ли помога́ет в о́фисе, но за э́ту рабо́ту не получа́ет зарпла́ту.

И́горь Влади́мирович — ________________, а Еле́на Никола́евна — бухга́лтер. Их дочь Ли́за сейча́с увлека́ется ________________, но она́ говори́т, что не хо́чет ________________ му́зыкой профессиона́льно. Ю́рий Никола́евич ду́мает, что ей ра́но так говори́ть. Ли́за хорошо́ игра́ет на ________________, у неё тала́нт к му́зыке.

инжене́р	**ло́жка**	**ма́ленький**
худо́жник	**фи́рма**	**есть**
шко́ла	**ви́лка**	**быть**

Когда́ Еле́на Никола́евна ________________ ма́ленькой, она́ то́же ходи́ла в музыка́льную ________________. Но по́сле шко́лы она́ поступи́ла (got into) на экономи́ческий факульте́т. И́горь Влади́мирович ра́ньше рабо́тал ________________, а тепе́рь он рабо́тает хи́миком в междунаро́дной ________________. Ю́рий Никола́евич рабо́тает ________________ в теа́тре. Когда́ он был ________________, он полюби́л теа́тр.

В 2 часа́ но́чи Ю́рий Никола́евич ухо́дит (leaves), а други́е ________________ сла́дкое. То́ни удивля́ется, что торт едя́т ________________ — до́ма в Теха́се торт обы́чно едя́т ________________.

И́мя и фами́лия: ______________________________ Число́: ____________

7.3 Упражне́ние B. Поле́зные сове́ты (Useful Advice)

You are talking to some Russian high school students about what subjects they should study for their intended careers. Using the careers and academic subjects listed below, write eight sentences about which areas of study are relevant for the careers given. Note that complements of both **занима́ться** and **стать** will be in the instrumental case. One sentence has been provided as an example.

профе́ссии		**предме́ты**	
банки́р	**фило́соф**	**геоло́гия**	**биоло́гия**
врач	**психо́лог**	**медици́на**	**хи́мия**
хи́мик	**лингви́ст**	**лингви́стика**	**филосо́фия**
гео́лог	**журнали́ст**	**литерату́ра**	**эконо́мика**
писа́тель	**экономи́ст**	**исто́рия**	**марке́тинг**
учи́тель	**бизнесме́н**	**психоло́гия**	**педаго́гика**
поли́тик	**перево́дчик (translator)**	**полити́ческие нау́ки**	**иностра́нные языки́**
		социоло́гия	**фина́нсы**

0. Е́сли вы хоти́те стать писа́телем, то я сове́тую вам занима́ться литерату́рой.
1. ______________________________
2. ______________________________
3. ______________________________
4. ______________________________
5. ______________________________
6. ______________________________
7. ______________________________
8. ______________________________

Ѝмя и фамѝлия: ______________________ Числó: __________

7.3 Упражнéние Г. Чем увлекáетесь вы и вáши друзья́?

Using the words and phrases provided, write eight sentences using the verb **увлекáться** to describe what you, your family, and your friends enjoy doing. You can also add **не** before the verb if you are not interested in a particular activity. Note that the words in the right-hand column are plurals. Ask your instructor for words related to any specialized hobbies that you might have.

спорт	**тéхника**	**шáхматы**
балéт	**теáтр**	**тáнцы**
мýзыка	**óпера**	**компьютеры**
йóга	**фотогрáфия**	**автомобѝли**
аэрóбика	**кинó**	**компьютерные ѝгры**
плáвание (swimming)	**полѝтика (politics)**	**сериáлы (TV series)**

1. Я увлекáюсь ______________________.
2. ______________________.
3. ______________________.
4. Мой друг __________ [ѝмя] ______________________.
5. ______________________.
6. ______________________.
7. Мои́ друзья́ __________ [ѝмя] и __________ [ѝмя] ______________________.
8. ______________________.

И́мя и фами́лия: ______________________________ Число́: ____________

7.3 Упражне́ние Д. Ва́ши отве́ты

Answer each question below in a complete sentence. Rather than looking up a lot of new words, try to use words and phrases that you know to get your meaning across. If there is a word that you need to describe your own situation better, write a note for your instructor in the margin. In those questions that make use of **кто** and **что,** pay careful attention to the question word before formulating your answer.

1. Кем вы хоте́ли стать, когда́ вы бы́ли ма́леньким/ма́ленькой?

   ______________________________.

2. Кем вы хоте́ли стать, когда́ вам бы́ло двена́дцать лет?

   ______________________________.

3. Кем вы тепе́рь мечта́ете стать?

   ______________________________.

4. Кем рабо́тает ваш оте́ц? А ва́ша мать?

   ______________________________.

5. Где вы лю́бите занима́ться?

   ______________________________.

6. С кем вы ча́сто занима́етесь?

   ______________________________.

7. Чем вы ча́сто занима́етесь?

   ______________________________.

8. Вы занима́етесь спо́ртом?

   ______________________________.

9. С кем вы познако́мились в э́том году́?

   ______________________________.

10. На кого́ вы похо́жи? На мать? На отца́?

    ______________________________.

И́мя и фами́лия: ______________________________ Число́: ______________

7.3 Упражне́ние Е. Ма́ленькие слова́

Match each Russian word with its English equivalent.

1. ____	по-ра́зному	а.	it's been a long time since
2. ____	подожди́	б.	someday; sometime
3. ____	давно́	в.	first time
4. ____	жаль	г.	unfortunately
5. ____	всё равно́	д.	without
6. ____	почти́	е.	in different ways
7. ____	пе́рвый раз	ж.	almost
8. ____	без	з.	why; for what purpose
9. ____	про́сто	и.	(one) doesn't feel like
10. ____	сра́зу	к.	but still; for all that
11. ____	вдруг	л.	all the same
12. ____	всё-таки	м.	wait a sec
13. ____	пора́	н.	it’s a pity
14. ____	к сожале́нию	о.	immediately
15. ____	заче́м	п.	suddenly
16. ____	когда́-нибудь	р.	simply
17. ____	не хо́чется	с.	it’s time

7.3 Упражне́ние Ж. Ситуа́ции

Review the eposides in this часть and write out the Russian phrase that you would use in the following situations. Note that all of the prompts are connected.

1. Your guests from Russia arrive at your house and you want to invite them inside and to have them take off their coats.

   ____.

2. You invite your Russian guests to come to the table.

   ____.

3. You offer a toast to becoming acquainted with your guests.

   ____.

4. You explain that the soup has meat and vegetables.

   ____.

5. You ask your guests what kind of work they do.

   ____.

6. You ask your guests how they know English so well.

   ____.

7.3 Упражне́ние Ж. Ситуа́ции

Имя и фами́лия: ______________________________ Число́: ____________

7.3 Упражнение 3. Фа́кты. Собы́тия. Лю́ди. (Facts. Events. People.)

The topic of breakfast is a popular one on Russian discussion boards. Before reading typical responses gathered from a number of sites, take a moment and work on the following vocabulary items.

а. Sound out the following words to guess what they mean. Write your guesses in English in the blanks provided.

1. йо́гурт ____________
2. мю́сли ____________
3. маргари́н ____________
4. жанр ____________
5. кла́ссика ____________
6. вариа́ция ____________

It will be helpful for you to use google.ru to look up images of several food words that are used in this text. Using the images, explain in English what these things are:

творо́г	хло́пья
оре́хи	ка́ша
плю́шка	пельме́ни

б. Use the discussion board responses on the following page to answer these questions.

1. What are the most typical/common items eaten for breakfast? List them in Russian in their dictionary form with the English translation on the right.

по-ру́сски	**по-англи́йски**
____________	____________
____________	____________
____________	____________
____________	____________

2. Which breakfast is closest to your own idea of a "good breakfast?" Explain why.

____

____

____

а. Утром обычно пью чай с парой бутербродов. Иногда ем банан или какой-нибудь другой фрукт.

б. чашка чая или кофе, булочка с сыром или колбасой. Иногда ем мюсли с молоком.

в. Я завтракаю всегда плотно! Это или пельмени, или омлет, или яичница, молоко или чай, печенье

г. овсянка, фруктовый салат, зеленый чай.

д. Творог с фруктами (банан, груша, яблоко), сметаной и сахаром. Каша, чай. Пара бутербродов с сыром к чаю.

е. первый завтрак дома в 6 утра, кофе и кусочек черного хлеба с маргарином, потом на работе в 10 йогурт или кефир

ж. утром бутылка йогурта в машине, в 12 чай с молоком, в 15 плотный обед

з. Классика жанра: каша + бутерброд с чаем. Вариациями на тему завтрака являются фрукты с орехами или завтрак исключительно из молочных продуктов.

и. Я ем много: хлопья с молоком, йогурт и кофе. Ужас! А потом через два часа опять есть хочу.

к. 1) овсянка+банан. 2) зелёный чай/кофе. 3) мясо или рыба, или 2 варёных яйца с творогом

л. Яичница, 2-4 яйца, бутерброды и чай-кофе, иногда молоко просто с плюшкой, если тороплюсь, то яблоко или еще какой фрукт... ну а если опаздываю, то шоколад + сок по пути...

м. Вариант номер 1: овсянка или гречневая каша, 2 вареных яйца, чай/кофе. Вариант номер 2: яичница из 4-5 яиц или омлет, все с мясом, и к этому всякие овощи: помидор/ы, перец, горох, фасоль. чай/кофе. Вариант номер 3: хлопья или мюсли с молоком и грамм 400 обезжиренного творога. чай/кофе.

н. а я вот мюсли ежедневно ем и кофе с бутербродиком

о. Я люблю по утрам пить томатный сок со сметаной. Йогурты, творог, каши разные, мюсли тоже ем.

И́мя и фами́лия: ______________________________ Число́: ______________

Уро́к 7: часть 2

7.4 Упражне́ние А. На у́лице о́чень хо́лодно

Review this episode and fill in the blanks to retell the story. Note that all of the words in the word bank are in their dictionary forms, so you may need to change grammatical endings depending on context.

коньки́	**лы́жи**	**со́лнечно**
ша́пка	**факульте́т**	**удово́льствие**
гра́дус	**друзья́**	**гла́вный**
ходи́ть	**научи́ться**	**приглаша́ть**

Ни́на звони́т Джо́шу и ________________ его́ на като́к. Джош говори́т ей, что он с ________________ пойдёт с ней. Они́ встре́тятся в двена́дцать часо́в у ________________ вхо́да на стадио́н «Труд».

По́сле разгово́ра Светла́на Бори́совна спра́шивает Джо́ша, кто таки́е Ни́на и Анто́н. Джош отвеча́ет, что они́ у́чатся вме́сте с ним на ________________. Светла́на Бори́совна ду́мает, что ката́ться на конька́х с ________________ о́чень ве́село. Ей интере́сно, что Джош уме́ет ката́ться не то́лько на конька́х, но и на ________________. Джош объясня́ет ей, что он ________________ ката́ться на конька́х, когда́ он был ма́леньким.

В э́тот день на у́лице ________________, но о́чень хо́лодно, ми́нус 16 гра́дусов. Светла́на Бори́совна бои́тся, что Джош заболе́ет, е́сли он бу́дет ________________ без ша́пки. Джош узнаёт, что ми́нус 20 гра́дусов по Це́льсию — ми́нус четы́ре ________________ по Фаренге́йту. Светла́на Бори́совна даёт ему́ тёплую мужску́ю ________________. В ней Джо́шу бу́дет о́чень тепло́, когда́ он бу́дет ката́ться на ________________.

7.4 Упражне́ние Б. С кем?

Caitlin is showing some photos to a Russian acquaintance and explaining who all the people are in each photo. Fill in the blanks in the conversation with the correct forms of the indicated words.

— На э́той фотогра́фии Ама́нда и Же́ня. Она́ познако́милась ____________ [with him] в конце́ сентября́. Он ходи́л ____________ [with her] в магази́н, когда́ ей на́до бы́ло купи́ть ча́йник. На второ́й фотогра́фии опя́ть Ама́нда и Же́ня, а ря́дом ____________ [with them] стои́т сосе́дка Ама́нды, Ле́на. На э́той фотогра́фии Джош и я.

— Когда́ Ама́нда познако́милась ____________ [with you all]?

— Она́ познако́милась ____________ [with us] в сентябре́.

— Интере́сно. Ке́йти, мне сейча́с пора́ идти́ занима́ться. А ве́чером я иду́ в кафе́. Ты хо́чешь пойти́ ____________ [with me]?

— Да, с удово́льствием ____________ [with you] пойду́.

7.4. Упражне́ние В. Мы с .... (... and I)

In the sentences below, one of our characters describes an activity that s/he often engages in with another one of our characters. Based on the context provided, fill in the blank with the name of the appropriate person. Then translate the resulting **мы с** phrase into English.

	по-англи́йски
1. Ама́нда: Мы с ____________ ча́сто хо́дим в кафе́ пить чай.	____________
2. Джош: Мы со ____________ за́втракаем вме́сте ка́ждое у́тро.	____________
3. Ри́мма Ю́рьевна: Мы с ____________ лю́бим е́здить в Ту́рцию на о́тдых.	____________
4. Ю́рий Никола́евич: Мы с ____________ ходи́ли вме́сте на спекта́кль.	____________
5. Ле́на: Мы с ____________ ча́сто занима́емся вме́сте.	____________
6. Ната́лья Миха́йловна: Мы с ____________ рабо́таем вме́сте в програ́мме для америка́нских студе́нтов.	____________

И́мя и фами́лия: ______________________________ Число́: ____________

7.4. Упражне́ние Г. Прогно́з пого́ды

Listen to four weather reports and fill in the first three columns of the chart below. Then evaluate the information you have gathered, and circle the answers in the last two columns that seem most appropriate. Remember that all of the temperatures are in Celsius.

City and Date	Sunny? Cloudy? Raining? Snowing?	Daytime °C	По-мо́ему, будет...	Сего́дня пого́да... [*for the time of year*]
			а. хо́лодно б. прохла́дно в. тепло́ г. жа́рко	а. замеча́тельная. б. неплоха́я, норма́льная. в. ужа́сная.
			а. хо́лодно б. прохла́дно в. тепло́ г. жа́рко	а. замеча́тельная. б. неплоха́я, норма́льная. в. ужа́сная.
			а. хо́лодно б. прохла́дно в. тепло́ г. жа́рко	а. замеча́тельная. б. неплоха́я, норма́льная. в. ужа́сная.
			а. хо́лодно б. прохла́дно в. тепло́ г. жа́рко	а. замеча́тельная. б. неплоха́я, норма́льная. в. ужа́сная.

Имя и фами́лия: ______________________________ Число́: ______________

7.4 Упражне́ние Д. Кака́я сего́дня пого́да?

Look at the following weather forecasts, and write six sentences describing what the weather will be like in a given city on a given day. One has been done for you.

Погода во Владивостоке на 5 дней

04.03 ВТ	05.03 СР	06.03 ЧТ	07.03 ПТ	08.03 СБ
-2°	-5°	-8°	-9°	-6°

0. Сего́дня четвёртое ма́рта. В Москве́ о́блачно, два гра́дуса тепла́.
1. ______________________________
2. ______________________________
3. ______________________________
4. ______________________________
5. ______________________________
6. ______________________________

И́мя и фами́лия: ______________________ Число́: ______________

7.4 Упражне́ние Е. Structuring Weather Sentences

A Russian acquaintance, with whom you chat online, is curious about what the weather is like around the United States. You have checked the weather on your phone but know that Fahrenheit temperatures would be hard for your acquaintance to understand. Write these general observations about the weather for your friend in Russian. Note that Russian sentences about weather are constructed using the following model: time phrase, location phrase, and then weather conditions. Therefore, the Russian word order will be different than the English. Remember that Russian weather sentences do not use **э́то**.

1. It is cold this morning in Boston.

   ______________________________.

2. It is warm in Florida today.

   ______________________________.

3. It was cool in Philadelphia yesterday.

   ______________________________.

4. It was hot in Texas on Monday.

   ______________________________.

5. It is snowing in Chicago today.

   ______________________________.

6. It is raining in California today.

   ______________________________.

7. What kind of weather are you having?

   ______________________________.

8. We are having [*by us there is*] nice weather today.

   ______________________________.

7.4 Упражне́ние Ж. В Ирку́тске

While everyone thinks that Siberia is a land of unending cold and snow, it has seasonal changes in the weather just like everywhere else. Read the following text about the climate in Irkutsk, and use the information to complete the table in English. Some cells will remain blank.

В Ирку́тске зимо́й быва́ет о́чень хо́лодно, гра́дусов три́дцать моро́за. Зимо́й в Ирку́тске ча́сто све́тит со́лнце, хотя́ дни о́чень коро́ткие. Ча́сто идёт снег. Весно́й быва́ет прохла́дно. Наприме́р, в апре́ле сре́дняя температу́ра днём всего́ де́вять гра́дусов тепла́. Ле́том в Ирку́тске обы́чно жа́рко. Сре́дняя температу́ра днём гра́дусов три́дцать, а но́чью гра́дусов два́дцать. Ле́том ре́дко идёт дождь, осо́бенно в ию́ле и а́вгусте. Ча́сто быва́ет и о́чень жа́ркая пого́да – гра́дусов три́дцать пять. О́сенью в нача́ле сентября́ ещё быва́ет тепло́, но в конце́ ме́сяца и в нача́ле октября́ уже́ начина́ются за́морозки.

	Temperatures	**Precipitation**
Winter		
Spring		
Summer		
Fall		

7.4 Упражне́ние З. В моём го́роде

Write a short paragraph to an online Russian acquaintance describing the climate of your city/town during all four seasons. Describe its average temperatures (in Celsius), precipitation and any other typical weather events. You might use the following words, if they are common occurences where you live.

мете́ль -	snowstorm	торна́до -	tornado
гроза́ - (pl. гро́зы)	thunderstorm	урага́н -	hurricane

____

____

____

____

____

____

И́мя и фами́лия: ____________________ Число́: ____________

7.5 Упражне́ние А. О спо́рте

а. Caitlin is telling her classmates about how her friends get exercise and the sports that they like to play. Take notes in English to give as full a picture of her friends' interests as you can.

Сэм	Дже́нни	Бе́кки

б. Review the information you gathered above, and then decide with whom you have the most in common. Make sure to circle the appropriate form of the short-form adjective **похо́ж**.

Я бо́льше всего́ похо́ж/похо́жа на ____________, потому́ что ____________

____.

И́мя и фами́лия: ______________________________ Число́: __________

7.5 Упражне́ние Б. Спорт

Josh's friends in the United States are very athletic. Make complete Russian sentences out of the elements between the slashes to help Josh describe their interests. All of your sentences should be in the present tense.

1. Мой / друзья́ / Стен и Джейк / занима́ться / дзюдо́ / .

   ____.

2. Зима́ / они́ / ча́сто / ката́ться / на / сноубо́рд / и́ли / на / лы́жи / .

   ____

   ____.

3. Ле́то / они́ / жить / в / Вирги́ния / и / ка́ждый / день / пла́вать / в / океа́н / .

   ____

   ____.

4. О́сень / в / университе́т / мы / с / они́ / игра́ть / вме́сте / в / баскетбо́л / .

   ____

   ____.

5. Мой / сосе́дка / Са́ра / бе́гать / ка́ждый / у́тро /.

   ____.

6. Весна́ / и / о́сень / она́ / ката́ться / на / велосипе́д, / когда́ / пого́да / быва́ть / хоро́ший.

   ____

   ____.

Ймя и фамилия: ______________________________ Число́: ______________

7.5 Упражне́ние В. На катке́. Э́то ве́рно или неве́рно?

Review the episode and indicate whether the following statements are **В** (**Э́то ве́рно**) or **Н** (**Э́то неве́рно**). If the statement is false, cross out the incorrect information and write a new, corrected statement on the line below. Be sure to match the corrected information to the grammatical context of the sentence.

1. ____ Джош пошёл с Ни́ной и Андре́ем на като́к.

   ____.

2. ____ Там они́ ката́лись на конька́х.

   ____.

3. ____ Было ве́село, но Ни́на упа́ла и у неё заболе́ла рука́.

   ____.

4. ____ Ни́не и Джо́шу ста́ло жа́рко, и они́ реши́ли, что пора́ идти́ обе́дать.

   ____.

5. ____ Анто́н предлага́ет пойти́ в пиццери́ю.

   ____.

6. ____ Ни́на не хо́чет идти́ туда́, потому́ что паб далеко́.

   ____.

7. ____ А пиццери́я нахо́дится бли́зко, ря́дом с пло́щадью.

   ____.

8. ____ В конце́ разгово́ра молоды́е лю́ди вме́сте пошли́ в кино́.

   ____.

Имя и фами́лия: ______________________________ Число́: ______________

7.5 Упражне́ние Г. Но́вые глаго́лы

Use the verbs in the word bank to recap recent events from our story. Since you are describing past events, your verbs will all need to be in the past tense.

упа́сть	**есть**	**мочь**
помо́чь	**идти́**	**пойти́**

1. Еле́на Никола́евна ______________ То́ни с перево́дом сло́ва «intern».
2. На Но́вый год Гу́рины ______________ прекра́сный обе́д.
3. По́сле семина́ра Ама́нда ______________ к Же́не и засну́ла (fell asleep) на дива́не.
4. Вчера́ бы́ло ми́нус пять гра́дусов, и весь день ______________ снег.
5. На катке́ Джош ______________, но ему́ бы́ло не бо́льно.
6. Светла́на Бори́совна заболе́ла и не ______________ пригото́вить за́втрак. У́тром Джош сам пригото́вил ко́фе, но ничего́ не ______________.
7. В университе́те Джош не ______________ ка́ждый день занима́ться спо́ртом.
8. О́сенью Ке́йтлин почти́ ка́ждый день ______________ у́жин с Ри́ммой Ю́рьевной.
9. То́ни ______________ Зо́е Степа́новне купи́ть все ну́жные проду́кты.
10. Вчера́ весь день ______________ дождь со сне́гом. На у́лице бы́ло ско́льзко (slippery), и Зо́я Степа́новна ______________. Сего́дня у неё боли́т нога́.

И́мя и фами́лия: ____________________ Число́: __________

7.5 Упражне́ние Д. Вот така́я ситуа́ция

Use the adverbs in the word bank below to describe the situations provided. Your sentences should use the character's name and may be in the present or past tense. One has been done for you.

ве́село	**ску́чно**	**жа́рко**
хо́лодно	**тепло́**	**гру́стно**
	~~бо́льно~~	

0. Вчера́ Джош упа́л на катке́.

   Сего́дня Джо́шу бо́льно. И́ЛИ Вчера́ Джо́шу бы́ло бо́льно ____________.

1. Дени́с сиди́т на заня́тиях, и преподава́тель до́лго и моното́нно расска́зывает все дета́ли о ру́сско-япо́нской войне́.

   ____________________.

2. Вчера́ Зо́я Степа́новна узна́ла о сме́рти (death) одного́ врача́, кото́рый с ней ра́ньше рабо́тал.

   ____________________.

3. На у́лице три́дцать семь гра́дусов по Це́льсию. Ри́мма Ю́рьевна стои́т на у́лице и ждёт авто́бус.

   ____________________.

4. Мара́т Аза́тович встре́тился с друзья́ми. Они́ мно́го пи́ли, е́ли и разгова́ривали.

   ____________________.

5. Ната́лья Миха́йловна до́лго ходи́ла по Москве́ со студе́нтами. На у́лице бы́ло ми́нус три гра́дуса по Це́льсию.

   ____________________.

6. В о́фисе, где рабо́тает Светла́на Бори́совна, бы́ло два́дцать пять гра́дусов по Це́льсию.

   ____________________.

7.5 Упражне́ние Е. Which Meaning of боле́ть?

Read the following sentences and decide if the verb **боле́ть** is the first conjugation verb (with the stem **болей-**) meaning "to be sick" or the second conjugation verb (with stem **бол-**) meaning "to ache; to hurt." The perfective form for both verbs starts with the prefix **за-**. **Заболе́ть** can mean either "to get sick" or "to start to ache, to start to hurt." Write the English equivalent of the underlined verb in the space provided.

	по-англи́йски
1. У меня́ ужа́сно боли́т голова́.	__________
2. Где Анто́н? Он до́ма. Он сего́дня боле́ет.	__________
3. Е́сли Джош бу́дет ходи́ть в холо́дную пого́ду без ша́пки, он то́чно заболе́ет.	__________
4. Я вчера́ два часа́ бе́гал, и поэ́тому сего́дня но́ги боля́т.	__________
5. Когда́ Светла́на Бори́совна боле́ла, Джош ей гото́вил чай.	__________
6. Я заболе́л и не пойду́ сего́дня на конце́рт.	__________
7. Когда́ Джош упа́л, у него́ заболе́ла рука́.	__________

7.5 Упра́жнение Ж. Приглаше́ния (Invitations): кто кого́ приглаша́ет?

a. Match the beginning of each invitation using the **дава́й(те)**... construction with its appropriate conclusion.

____	1. Дава́й пригласи́м…	а. Дени́су. На́до поздра́вить его́ с Но́вым го́дом.
____	2. Дава́й пойдём…	б. Оле́гу, что купи́ть Ка́те на день рожде́ния.
____	3. Дава́й пое́дем…	в. Ама́нде э́тот альбо́м по ру́сскому иску́сству.
____	4. Дава́й ку́пим…	г. в магази́н Эльдора́до.
____	5. Дава́йте позвони́м…	д. име́йл Ми́ле.
____	6. Дава́йте напи́шем…	е. шампа́нское. Уже́ почти́ двена́дцать часо́в.
____	7. Дава́й посове́туем…	ж. Джо́ша на като́к.
____	8. Дава́й откро́ем…	з. на Но́вый год в Яросла́вль.

б. Now look at the complete invitations above and decide who is most likely to make them (and to whom). Write the corresponding number of the invitation in the blank provided.

____ Э́то, наве́рное, Ама́нда говори́т Же́не.

____ Э́то, наве́рное, Еле́на Никола́евна говори́т му́жу.

____ Э́то, наве́рное, Же́ня говори́т Ама́нде.

____ Э́то, наве́рное, Зо́я Степа́новна говори́т сы́ну.

____ Э́то, наве́рное, Ке́йтлин говори́т други́м студе́нтам в гру́ппе.

____ Э́то, наве́рное, Ли́за говори́т роди́телям.

____ Э́то, наве́рное, Мони́к говори́т Ка́те.

____ Э́то, наве́рное, Ни́на говори́т Анто́ну.

7.5 Упра́жнение 3. Дава́йте phrases

In the course of our story you have learned that the characters like to do certain activities:

- ~~То́ни лю́бит конце́рты ру́сской му́зыки.~~
- Ама́нда лю́бит вы́ставки ру́сского иску́сства.
- Джош лю́бит клу́бы, где игра́ют джаз.
- Ке́йтлин лю́бит центр Каза́ни и ча́сто фотографи́рует интере́сные истори́ческие дома́ и па́мятники.
- Людми́ла Андре́евна увлека́ется приро́дой.
- Мара́т Аза́тович лю́бит семина́ры по би́знесу.
- Ри́мма Ю́рьевна лю́бит чита́ть и ча́сто покупа́ет кни́ги.
- Светла́на Бори́совна лю́бит и ста́рые, и но́вые фи́льмы.

Based on this information, extend an invitation to each of the characters above using one of the verbs provided in the word bank. Remember that invitations to more than one person (or to a person with whom you are **на вы**) require the form **дава́йте** rather than **дава́й**. One invitation has been done for you as an example.

пойти́	**пое́хать**	**послу́шать**	**посмотре́ть**

0. То́ни, дава́й послу́шаем конце́рт по ра́дио.
1. ______________________________.
2. ______________________________.
3. ______________________________.
4. ______________________________.
5. ______________________________.
6. ______________________________.
7. ______________________________.

Имя и фами́лия: ______________________ Число́: ____________

7.6 Упражне́ние А. В пиццери́и «Вене́ция»

Read the episode and fill in the following information in English.

а. Who orders what?

	To eat	To drink	For dessert
Nina			
Anton			
Josh			

б. How much does the whole meal cost? ______________________

в. Review their discussion of sports carefully, and list the sport(s) that each of them has played in the past. In the second column, note their opinions about other sports.

	Sports they have played	Opinions about other sports
Josh		
Anton		
Nina		

г. Josh brings up several examples of what he sees as cultural differences between Russia and the United States, some of which are really just personal preferences. List his examples in the table below and then place a check mark next to those that reflect your own preferences.

	In the United States	In Russia
1.		
2.		
3.		

И́мя и фами́лия: ______________________________ Число́: ______________

7.6 Упражне́ние Б. Ни́на расска́зывает о Джо́ше

In this episode Nina tells a friend about her outing with Josh and Anton. Review the episode and complete her summary by using words from the word bank. The words are in their dictionary forms, so you will need to change their forms to fit the grammatical context. Note that Nina's story is all in the past tense.

америка́нский	**вид**	**быть**
пра́вило	**банк**	**боя́ться**
студе́нт	**зима́**	**бе́гать**
мочь	**есть**	**понра́виться**

Вчера́ я обе́дала с ________________ ________________ в пиццери́и, кото́рая нахо́дится ря́дом с ________________. Мы ________________ о́чень вку́сную пи́ццу. Э́того америка́нца зову́т Джош. Он настоя́щий спортсме́н. Когда́ ему́ ________________ шесть лет, он на́чал игра́ть в футбо́л. В шко́ле ________________ он пла́вал, а весно́й ________________ и ле́том игра́л в бейсбо́л. Он хоте́л нам объясни́ть ________________ бейсбо́ла по-ру́сски, но не ________________. Э́то была́ не пробле́ма. Бейсбо́л, по-мо́ему, о́чень стра́нный ________________ спо́рта — невозмо́жно поня́ть, как в него́ игра́ют.

В сентябре́, когда́ Джош прие́хал, он не о́чень понима́л на́шу культу́ру. Он ________________, что он де́лает всё не так. А тепе́рь он всё зна́ет. Он мне о́чень понра́вился, и мне ка́жется, что я ему́ то́же ________________.

И́мя и фами́лия: ______________________________ Число́: ______________

7.6 Упражне́ние В. Но́вые глаго́лы (НСВ)

Fill in the blanks below with the present-tense forms of the imperfective verbs indicated. Then choose a location from the word bank where you might hear such an exchange.

	Где мо́жно э́то услы́шать?
1. — Что ты тут обы́чно ______________? [брать] — Я обы́чно ______________ сала́т, щи и котле́ты. [брать]	
2. Мы обы́чно ______________ пи́ццу с лу́ком и масли́нами, а [брать] на́ши де́ти ______________ пи́ццу «Маргари́та». [брать]	
3. — Вы ______________ э́ти кни́ги? [брать] — Нет. Э́ти кни́ги ______________ мои́ друзья́. [брать]	
4. До экску́рсии гид ______________ биле́ты в ка́ссе, и [брать] пе́ред вхо́дом на вы́ставку он ______________ их тури́стам. [дава́ть]	
5. Я ______________ вам 5 мину́т, чтобы [*in order to*] зако́нчить [дава́ть] упражне́ние.	
6. Роди́тели ______________ мне де́ньги, потому́ что в э́том [дава́ть] семе́стре у меня́ о́чень тру́дные ку́рсы и у меня́ нет вре́мени рабо́тать.	

пе́ред теа́тром	**в библиоте́ке**	**в общежи́тии**
в столо́вой	**в метро́**	**в пиццери́и**
в шко́ле	**в музе́е**	**в магази́не электро́ники**

И́мя и фами́лия: ______________________ Число́: __________

7.6 Упражне́ние Г. Но́вые глаго́лы (СВ)

Fill in the blanks below with the future-tense forms of the perfective verbs indicated. Then indicate where you might hear each exchange by writing in a location from the word bank below.

	Где мо́жно э́то услы́шать?
1. — Ма́ша, как я ра́да тебя́ ви́деть. У тебя́ есть ли́шний (extra) биле́т на спекта́кль? — У меня́ нет, а у Серёжи есть. Он его́ тебе́ ________ [дать].	
2. Ребя́та, я ________ [взять] ва́ши тетра́ди в конце́ уро́ка и ________ [дать] вам но́вое зада́ние на за́втра.	
3. Е́сли вы ________ [дать] мне свой телефо́н, я вам позвоню́, когда́ ва́ши докуме́нты бу́дут гото́вы.	
4. — По́езд ухо́дит в 9 часо́в, а тури́сты то́лько сейча́с встаю́т. — Э́то не пробле́ма. Они́ ________ [взять] такси́ на вокза́л.	
5. Мы пое́дем в Москву́, и мы, коне́чно, ________ [взять] с собо́й тёплую оде́жду.	
6. — Ты ________ [взять] блины́ с ры́бой? — Нет, я бу́ду мя́со с карто́шкой. А что вы ________ [взять]?	
7. Мы ________ [дать] вам возмо́жность (opportunity) рабо́тать инте́рном ле́том.	
8. Мои́ друзья́ ________ [дать] мне конспе́кты, когда́ они́ их прочита́ют.	

в фи́рме	**пе́ред теа́тром**	**в гости́нице (hotel)**
в шко́ле	**в библиоте́ке**	**в университе́те**
в кафе́	**в администра́ции университе́та**	**до́ма пе́ред пое́здкой (trip)**

И́мя и фами́лия: ______________________________ Число́: __________

7.6 Упражне́ние Д. Хо́бби и свобо́дное вре́мя

Imagine that a Russian acquaintance is trying to get to know you better and has some questions about your hobbies. Answer the questions in complete sentences.

1. Что вы лю́бите де́лать в свобо́дное вре́мя?

   ______________________________.

2. Каки́ми ви́дами спо́рта мо́жно занима́ться у вас зимо́й?

   ______________________________.

3. Каки́ми ви́дами спо́рта мо́жно занима́ться у вас ле́том?

   ______________________________.

4. Вы занима́етесь спо́ртом? Е́сли да, каки́ми ви́дами спо́рта вы сейча́с занима́етесь? А е́сли нет, расскажи́те о дру́ге, кото́рый занима́ется спо́ртом.

   ____

   ______________________________.

5. Вы уме́ете гото́вить, танцева́ть и ката́ться на конька́х?

   ____

   ______________________________.

Имя и фами́лия: ______________________ Число́: ____________

7.6 Упражне́ние Е. Ма́ленькие слова́

Match each Russian word with its English equivalent.

____	1.	с удово́льствием	а.	exactly
____	2.	гла́вный	б.	since a long time ago
____	3.	Во ско́лько?	в.	main
____	4.	то́чно	г.	I guess
____	5.	ве́село	д.	with pleasure
____	6.	уве́рен	е.	No, not really.
____	7.	ничего́ себе́	ж.	complicated
____	8.	давно́	з.	wow!
____	9.	да нет	и.	way over there
____	10.	напро́тив	к.	At what time?
____	11.	вон там	л.	certain
____	12.	пожа́луй	м.	wrong, the wrong way
____	13.	ме́жду про́чим	н.	I'm afraid
____	14.	сло́жный	о.	fun, cheerful
____	15.	бою́сь	п.	across
____	16.	не так	р.	it's strange
____	17.	стра́нно	с.	by the way; incidentally

7.6 Упражне́ние Ж. Ситуа́ции

Review the episode and indicate what you would say if you were at a café with a friend who speaks no Russian at all. Note that all of these prompts are connected.

1. Ask the waiter for a menu.

   ____

2. Ask for two orders of borshch, one order of pirozhki with cabbage, and one order of pirozhki with meat.

   ____

3. Tell the waiter that you will have light [*in color*] beer and your friend will have mineral water.

   ____

4. Tell the waiter that for dessert you will have ice cream and coffee, and your friend will have a pastry and tea with lemon.

   ____

   ____

5. Ask the waiter how much you owe.

   ____

7.6 Упражнение 3. Фа́кты. Собы́тия. Лю́ди.

In this activity you will explore some typical menus of Russian chain restaurants that serve primarily Russian food. You will find links to websites for these restaurants at mezhdunami.dropmark.com.

1. At which of these restaurants would you prefer to eat?

   ____

2. Write down the Russian names of four dishes that you would want to try.

   ____

   ____

   ____

3. What 2-3 items on the menu would you want to avoid? Why? Write the names of the items in Russian and your explanations in English.

   ____

   ____

   ____

4. Cultural reflection. Did anything surprise or puzzle you in your exploration of these menus? How do they compare to online menus for restaurants that you see in the United States? Write your reflection in English.

   ____

   ____

   ____

   ____

   ____

Имя и фами́лия: ________________________ Числó: ____________

Урóк 7: часть 3

7.7 Упражнéние А. Поéздка Кéйтлин

In this episode you encounter some new verbs of motion. Look at each English phrase below, and write the specific Russian equivalent from the text.

1. She left for home.

   ________________________.

2. Caitlin arrived home.

   ________________________.

3. We will go to the airport together.

   ________________________.

4. We are flying to Turkey.

   ________________________.

5. They headed to the airport.

   ________________________.

6. They got to [*arrived at*] the airport.

   ________________________.

7. At noon they left [*in a plane*] for Turkey.

   ________________________.

8. The plane took off on time.

   ________________________.

9. She was flying through Frankfurt.

   ________________________.

10. She landed in Cincinnati.

    ________________________.

11. They got home at 1 a.m.

    ________________________.

7.7 Упражне́ние Б. Arrived or Left?

Based on the pictures below, complete the sentences with the correct past-tense verb form expressing arriving or leaving (e.g, **пришёл**, **прие́хал, ушёл**, **уе́хал**). Remember that each verb will need to agree with its subject in gender and number.

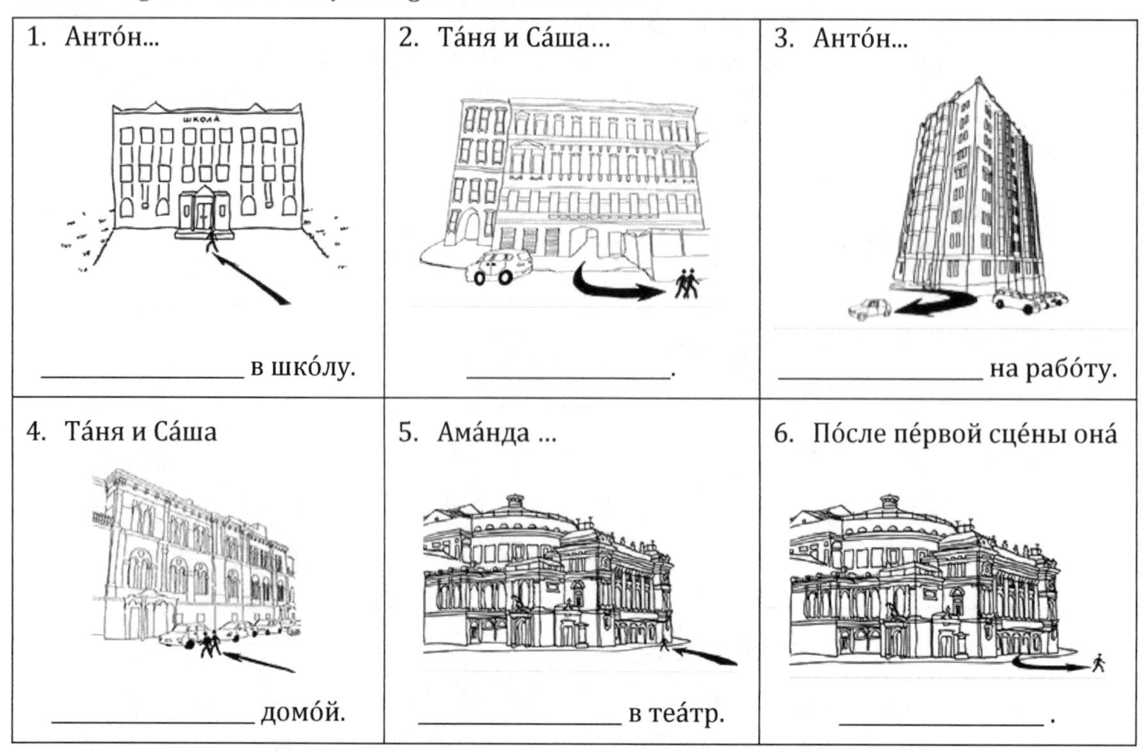

1. Анто́н...	2. Та́ня и Са́ша...	3. Анто́н...
______________ в шко́лу.	______________.	______________ на рабо́ту.
4. Та́ня и Са́ша	5. Ама́нда ...	6. По́сле пе́рвой сце́ны она́
______________ домо́й.	______________ в теа́тр.	______________ .

7.7 Упражне́ние В. Ле́тняя (Summer) програ́мма

Two summer program administrators are working on a report about when students arrived and when they departed. Fill in the blanks with the appropriate past-tense forms of the verbs **прие́хать** and **уе́хать** to complete their conversation. Remember that each verb will need to agree with its subject in gender and number.

— Америка́нская гру́ппа ______________ в ию́не и ______________ в нача́ле а́вгуста?

— Да. Больша́я была́ гру́ппа.

— По-мо́ему, не́мцы ______________ в ию́ле. Скажи́те, когда́ они́ ______________?

— Они́ ______________ в конце́ а́вгуста.

— Да, ве́рно. Пото́м у нас был э́тот необы́чный студе́нт из Ита́лии, кото́рый

______________ в ма́е.

— Да, когда́ он ______________ в конце́ ию́ля, он уже́ говори́л по-ру́сски без акце́нта.

И́мя и фами́лия: ______________________________ Число́: ______________

7.7 Упражне́ние Г. Coming and Going

Complete the following dialogues with appropriate forms of **приходи́ть/прийти́** and **уходи́ть/уйти́**. Pay attention to the English cues to determine what tense you need.

1. *Разгово́р ме́жду сосе́дями по ко́мнате:*

   — Ты ________________?
   [are leaving]

   — Да, я ________________. Сего́дня на заня́тиях мне на́до сде́лать большу́ю
   [am leaving]
   презента́цию.

   — А когда́ ты ________________ домо́й? Хо́чешь вме́сте поу́жинать?
   [will come]

   — Я ________________ по́здно, потому́ что по́сле презента́ции у меня́ ещё рабо́та.
   [will come]

2. Роди́тели ________________ ра́но на рабо́ту и ________________ домо́й в шесть часо́в.
   [leave] [come]

3. *Из разгово́ра по телефо́ну:*

   — Когда́ вы ________________ к нам в го́сти (for a visit)?
   [will come]

   — А в воскресе́нье вам бу́дет удо́бно?

   — Да. Мы бу́дем до́ма весь день.

   — Тогда́ мы ________________ к вам в воскресе́нье.
   [will come]

   — Прекра́сно. Бу́дем вас ждать.

4. Как на́ши знако́мые лю́бят разгова́ривать! В воскресе́нье они́ ________________ к нам
   [came]
   в два часа́ дня и ________________ то́лько в час но́чи.
   [left]

7.7 Упражне́ние Д. Гастро́ли

You are helping out with arrangements for a group of Russian musicians who have booked **гастро́ли** (tour dates) in the United States. Their manager calls to tell you about their travel schedule. Listen and fill in the missing words in the transcript below.

Гру́ппа ________________ в Вашингто́н ________________ апре́ля. В Вашингто́не музыка́нты бу́дут два ________________. Пото́м ________________ в Нью-Йорк, где у них бу́дет три ________________. По́сле Нью-Йо́рка они́ ________________ в Бо́стон. Два́дцать ________________ гру́ппа ________________ в Торо́нто. Из Торо́нто ________________ к вам в Чикаго́ два́дцать ________________. Из Чика́го ________________ в Ка́нзас-Си́ти ________________ апре́ля.

7.7 Упражне́ние Е. Диало́ги

1. Two old friends have run into each other at the airport. Complete their conversation with the appropriate forms of **лете́ть**.

   — И́горь Петро́вич, давно́ не ви́делись. Что вы тут де́лаете? Вы куда́-нибудь (somewhere) ______________?

   — Да, я ______________ в Пари́ж. А вы?

   — Я тут провожа́ю (am seeing off) сы́на и его́ жену́. Они́ сего́дня ______________ в Ло́ндон.

2. The school year has just started and two new instructors are getting acquainted. Complete their conversation with the appropriate forms of **лета́ть**.

   — Вы зна́ете ру́сский язы́к! Вы, наве́рное, ча́сто ______________ в Росси́ю?

   — Да, я ______________ туда́ ка́ждое ле́то.

   — А ваш муж и де́ти то́же ______________ с ва́ми?

   — Мы с детьми́ обы́чно ______________ без му́жа. Он, к сожале́нию, до́лжен рабо́тать.

И́мя и фами́лия: ______________________________ Число́: ____________

7.7 Упра́жнение Ж. Расскажи́те немно́го о себе́

You have decided to participate in an online survey about people's daily schedules and habits. Write your answers in complete sentences. Note that the first four questions are about *durations* of time, while the second four questions ask about *points* in time. Two have been done for you as examples.

0. Ско́лько часо́в в неде́лю вы пи́шете дома́шние зада́ния по ру́сскому языку́?

   Я пишу́ дома́шние зада́ния 10 часо́в в неде́лю.

1. Ско́лько часо́в в неде́лю (in a week) вы смо́трите телеви́зор?

   ______________________________.

2. Ско́лько часо́в в неде́лю вы слу́шаете му́зыку?

   ______________________________.

3. Ско́лько часо́в в неде́лю вы смо́трите ра́зные са́йты в интерне́те?

   ______________________________.

4. Ско́лько часо́в в неде́лю вы занима́етесь спо́ртом?

   ______________________________.

5. Во ско́лько вы обы́чно начина́ете писа́ть дома́шнее зада́ние?

   Я обы́чно начина́ю писа́ть дома́шнее зада́ние в 8 часо́в ве́чера.

6. Во ско́лько вы обы́чно встаёте?

   ______________________________.

7. Во ско́лько вы обы́чно ухо́дите в университе́т?

   ______________________________.

8. Во ско́лько вы обы́чно прихо́дите домо́й?

   ______________________________.

9. Во ско́лько вы обы́чно ложи́тесь спать?

   ______________________________.

7.8 Упражне́ние А. Лу́чше по́здно, чем никогда́

Caitlin's lengthy email tells a complicated story, and you will therefore need to work through the text in several passes. In this exercise you will concentrate on getting a broad overview of the story by finding the answers to the following questions. Write the needed information in English.

1. Look at the email header and note the following:

   а. To whom is Caitlin writing?

   ____.

   б. On what date is she writing?

   ____.

   в. What do the two attached pictures suggest about Caitlin's activities?

   ____.

2. Caitlin's message contains a number of place names. Sound them out and write down the English equivalents.

   а. Стамбу́л (a major city in Ту́рция)

   ____

   б. Фра́нкфурт (a major city in Герма́ния)

   ____

   в. Цинцинна́ти (a major city in Ога́йо)

   ____

   г. Гава́йи (one of the 50 U.S. states)

   ____

3. Skim the text of the email and write the four dates that Caitlin mentions in the left-hand column of the table below. Now read the sentences that contain the dates, as well as the sentences before and after them. Can you figure out where Caitlin is or where she is going on those dates? Write that information in the appropriate boxes below. All of your answers should be in English.

Dates	Caitlin's location/travel plans

4. From your answers to the questions above, write six statements in English predicting the content of Caitlin's email message.

____

____

____

____

____

____

5. Now go back and read the email in detail, using the glosses and the online dictionary as necessary. When you are finished, place a check mark to indicate how close your predictions were.

    ___ accurate

    ___ somewhat accurate

    ___ mostly inaccurate

7.8 Упражне́ние Б. Лу́чше по́здно, чем никогда́

Now that you have read the email carefully, you will work through the details, paying attention to how ideas are expressed in Russian. To begin, focus on events that took place on December 27th and 28th. Find the phrases from the text that reveal the information needed and write them down in Russian.

1. What was the weather like on the 27th?

    а. Morning:

    ____

    б. Afternoon:

    ____

2. What was Marat Azatovich's attitude about the weather?

____

3. Why did the Abdulovs go to the airport?

____

4. How did things turn out for them?

____

5. What was Caitlin's predicament?

____

____

6. How did she feel about it?

____

____

7. The solution:

   а. Who else was at the airport?

   ____

   б. Why were they there?

   ____

   в. What did they do for Caitlin?

      1. ______________________________

      2. ______________________________

8. What did Caitlin and the Abdulovs' neighbors do that night?

   а. ______________________________

   б. ______________________________

   в. ______________________________

   г. ______________________________

9. What two details did Caitlin learn about Marat Azatovich?

   а. ______________________________

   б. ______________________________

10. After the New Year…

   1. Where did Caitlin go?

   ____

   б. What did she do there?

   ____

7.8 Упражне́ние В. Как э́то сказа́ть по-ру́сски?

Look at each English phrase below and write the specific Russian equivalent from this episode.

1. Thanks for your email.

   ____

2. While I was waiting, I was looking out the window.

   ____

3. They recognized me and asked where I was flying.

   ____

4. I had a lot of fun at their place.

   ____

5. Perhaps we shouldn't sing so loudly.

   ____

6. I wish you all the best.

   ____

7. See you soon.

   ____

7.8 Упражне́ние Г. Лу́чше по́здно, чем никогда́

Re-read the episode and fill in the blanks using the word bank provided. Note that this summary of events is given from a very specific point of view and that you will need to decide who the **мы** is narrating the events. The following sentences describe some of the key points of the text from another point of view. There are three extra words in the word bank.

пое́хали	**пришли́**	**отве́тила**
прие́хали	**хоро́шая**	**музыка́нтами**
боя́лась	**уви́дели**	**петь**
хорошо́	**лети́т**	**ока́зывается**
улете́ть	**улете́ли**	**опя́ть**
	ра́ды	

Когда́ мы ________________ в аэропо́рт, нам сказа́ли, что мы не смо́жем ________________ в э́тот ве́чер. Мы узнава́ли о сле́дующем ре́йсе, когда́ мы ________________ знако́мое лицо́. Э́то была́ америка́нская студе́нтка, кото́рая живёт в на́шем до́ме у Абду́ловых. Мы спроси́ли её, куда́ она́ ________________. Она́ нам ________________, что она́ лети́т в Аме́рику че́рез Фра́нкфурт. Пото́м она́ объясни́ла, что Абду́ловы уже́ ________________ в Ту́рцию, и что она́ не зна́ет, что де́лать. Мы помогли́ ей сде́лать но́вый биле́т, а пото́м мы ________________ домо́й. Поня́тно, что де́вушка ________________ быть одна́, и мы пригласи́ли её к себе́ (to our place). ________________, что на́ша америка́нка увлека́ется наро́дной му́зыкой.

Она́ хоте́ла посмотре́ть на́ши инструме́нты. Пото́м мы ста́ли ________________ и танцева́ть. На сле́дующее у́тро мы ________________ пое́хали в аэропо́рт. В э́тот день пого́да была́ ________________, и мы улете́ли во́время. Мы о́чень ________________, что мы познако́мились с тако́й интере́сной де́вушкой.

Кто э́то «мы»? ____.

И́мя и фами́лия: ______________________________ Число́: ______________

7.8 Упражне́ние Д. Но́вые глаго́лы

Fill in the blanks below with an appropriate verb from the word bank. Be sure to conjugate the verb so that it agrees with its subject in number and gender. Note that unless otherwise indicated you will need to use present tense forms.

боя́ться	**петь**	**ждать**
спра́шивать/спроси́ть	**задава́ть/зада́ть (вопро́с)**	**загора́ть**

1. — Где ты? Ты сказа́л, что придёшь в семь часо́в. А сейча́с семь три́дцать. Я тебя́ ________________ уже́ полчаса́.

   — Извини́. Тут одни́ про́бки (traffic jams). Я ________________, что не смогу́ прийти́ сего́дня.
2. — Как я люблю́ ле́то! Я ________________ ка́ждый день, когда́ све́тит со́лнце.
3. — Что вы тут де́лаете на у́лице?

   — Мы ________________ авто́бус.
4. — Де́ти в шко́льном хо́ре (chorus) прекра́сно ________________.
5. *In this paragraph, you will need past and present forms.*

   Мо́дная певи́ца (singer) расска́зывает о неуда́чном (unsuccessful) интервью́. «Журнали́сты обы́чно ________________ мне интере́сные вопро́сы, а вчера́ э́тот но́вый журнали́ст ________________ о́чень ску́чные вопро́сы. Он хоте́л знать, почему́ я ________________ романти́ческие пе́сни, а не патриоти́ческие. Я не отве́тила на его́ вопро́с. Я то́лько ________________ его́, почему́ он ________________ меня́ об э́том. Ра́зве э́то бу́дет интере́сно чита́телям (to readers)?»

И́мя и фами́лия: ______________________________ Число́: ____________

7.8 Упражне́ние Е. Ситуа́ции. Что э́ти лю́ди должны́ де́лать?

Write a sentence with the short-form adjective **до́лжен** to suggest what you think the people should do in the following situations. Be sure to make the form of **до́лжен** agree with the subject in both number and gender. One has been done for you as an example.

0. Жена́ зна́ет, что у сы́на больша́я пробле́ма. Муж об э́том ничего́ не зна́ет.

   По-мо́ему, жена́ должна́ рассказа́ть му́жу о пробле́ме.

1. Сего́дня день рожде́ния Серёжи. Он пригласи́л Ко́стю и И́горя к себе́ (to his place) на ве́чер. Он ждёт уже́ час, а их всё ещё нет. Они́, ка́жется, опа́здывают.

   ____

   ____

2. Ва́ня и Ни́на зна́ют, что за́втра бу́дет экску́рсия, но они́ не знают, во ско́лько она́ бу́дет. Преподава́тель зна́ет э́ту информа́цию.

   ____

   ____

3. То́ни идёт по у́лице и ви́дит, что упа́ла ста́рая ба́бушка.

   ____

   ____

4. Си́нди зна́ет, что контро́льная рабо́та бу́дет в понеде́льник, а не во вто́рник. А Ке́йтлин об э́том ничего́ не зна́ет.

   ____

   ____

И́мя и фами́лия: ______________________________ Число́: ____________

7.8 Упражне́ние Ж. Соста́вьте предложе́ния (Put Sentences Together)

Make complete sentences out of the following strings of Russian words. The English words in the prompts will need to be translated into Russian and adjusted to the grammatical context.

1. Я / спроси́ть / преподава́тель / , / когда́ / will be / контро́льная рабо́та / .

   ____

2. Я / не / мочь / to come / на / твой / день рожде́ния / в / суббо́та / , / потому́ что / я / must / рабо́тать / .

   ____

   ____

3. Студе́нты / в / наш / гру́ппа / приходи́ть / на / заня́тия / во́время / и / задава́ть / интере́сный / вопро́сы / .

   ____

   ____

4. Мы / приходи́ть / на / рабо́та / в / 7 / час / и / уходи́ть / to home / в / 4 / час / .

   ____

   ____

5. Куда́ / вы / лете́ть / ? / Я / лете́ть / в / Росси́я / .

   ____

И́мя и фами́лия: ______________________________ Число́: ____________

7.8 Упражне́ние 3. Ма́ленькие слова́

Match each Russian word with its English equivalent.

____ 1. внизу́	а.	it turned out
____ 2. наверху́	б.	a whole
____ 3. во́время	в.	just now
____ 4. пока́	г.	downstairs
____ 5. це́лый	д.	since
____ 6. оказа́лось	е.	on time
____ 7. обра́тно	ж.	almost
____ 8. так как	з.	suddenly
____ 9. то́лько что	и.	upstairs
____ 10. ра́ньше	к.	earlier; previously
____ 11. вдруг	л.	back
____ 12. почти́	м.	while

7.8 Упражне́ние И. Име́йл

Compose a short email of approximately 75 words to a Russian friend (Misha or Tanya) in which you wish him or her a Happy New Year. Then tell your friend a bit about what you have done during the holiday. You may be creative, but try to stick to the Russian that you know and to use phrases that you have learned in the course of this unit.

Be sure to open and close your email with an appropriate greeting and closing.

Possible Greetings:	**Possible Closings:**
Здра́вствуй, Ми́ша!	Твой / Твоя́ [*or Ваш / Ва́ша if you write in вы*]
До́брый день, Та́ня!	До ско́рой встре́чи (See you soon; *lit. "until an upcoming meeting"*)
Дорого́й (Dear) Ми́ша,	Всего́ до́брого! (All the best!)
Дорога́я Та́ня,	

Source Information

7.1 Упражне́ние А. Традицио́нные ру́сские блю́да

1. "Bread&Cheese" © Inna Paladii | Dreamstime.com. http://www.dreamstime.com/stock-photography-bread-cheese-image2079672. Last accessed 1/12/16.
2. "Weiner veal sausage" by Sila is licensed under CC BY SA 3.0. https://commons.wikimedia.org/wiki/File:DSC04407_Wiener_veal_sausage.JPG. Last accessed 1/12/16.
3. "Roast chicken" by H. Padleckas Licensed under CC BY-SA 3.0. Modification by Jonathan Perkins. https://commons.wikimedia.org/wiki/File:Roast_chicken.jpg#/media/File:Roast_chicken.jpg. Last accessed 1/12/16.
4. "Chocolate chip cookie" by Bambo is in the public domain. https://pixabay.com/en/cookies-pastry-dessert-homemade-435296/. Last accessed 1/12/16.
5. "Beer Mug" by Letiha is in the public domain. https://pixabay.com/en/beer-mug-beer-glass-beer-938756/. Last accessed 1/12/16.
6. "Bread and Sausage" © Natashabnb | Dreamstime.com. http://www.dreamstime.com/royalty-free-stock-images-bread-sausage-image7786289. Last accessed 1/12/16.
7. "Salmon. 67/365" by PV KS is licensed under CC BY 2.0. Modifications by Jonathan Perkins. https://www.flickr.com/photos/tworubies/5124037373. Last accessed 1/12/16.
8. "A ham sandwich with green leaf of parsley isolated on white background." © Alekseystr | Dreamstime.com. http://www.dreamstime.com/royalty-free-stock-photography-ham-sandwich-green-leaf-parsley-isolated-white-image37560337. Last accessed 1/12/16.
9. "Strawberry Ice Cream Cone" by TheCulinaryGeek is licensed under CC BY 2.0. https://www.flickr.com/photos/preppybyday/5076899310. Last accessed 1/12/16.
10. "Hydration Bottles" by Rubbermaid is licensed under CC BY 2.0. https://www.flickr.com/photos/rubbermaid/6959996831/. Last accessed 1/12/16.
11. "Pickles cucumber" © Nikolai Sorokin | Dreamstime.com. http://www.dreamstime.com/royalty-free-stock-photos-pickles-cucumber-image14750108. Last accessed 1/12/16.
12. "Bread and butter" © Drugoy66 | Dreamstime.com. http://www.dreamstime.com/stock-photography-bread-butter-isolated-white-background-clipping-patch-image32264262. Last accessed 1/12/16.

7.3 Упражнение 3. Фа́кты. Собы́тия. Лю́ди. (Facts. Events. People.)

Poll responses taken (with some modifications) from the following sites:

1. Entries в, ж. з, л and н from Men's Health. Last accessed 1/20/16. http://forum.mhealth.ru/index.php?showtopic=3937&st=0
2. Entries к and м from It's My Day. Last accessed 1/19/16. http://itsmyday.ru/yes/44070.
3. Entries а and б from Еда.36on.ru. Last accessed 1/19/16. http://eda.36on.ru/articles/392-opros-nedeli-chto-vy-edite-s-utra
4. Entries д and о from teron.ru. Last accessed 1/20/16. http://teron.ru/index.php?showtopic=64722&st=100
5. Entries г, е and и from woman.ru. Last accessed 1/20/16. http://www.woman.ru/health/medley7/thread/3835854/

7.4 Упражне́ние Д. Кака́я сего́дня пого́да?

1. "Cloud" by Yannick is licensed under CC BY 3.0. Last accessed 1/20/16. http://www.flaticon.com/free-icon/cloud_12225
2. "Cloudy Day" by Rami McMin is licensed under CC BY 3.0. Last accessed 1/20/16. http://www.flaticon.com/free-icon/cloudy-day-outlined-weather-interface-symbol_53562
3. "Rainy Day" by Freepik is licensed under a Flatiron Basic License. Last accessed 1/20/16. http://www.flaticon.com/free-icon/rainy-day_106059
4. "Sunny Day" by Ema Dimitrova is licensed under CC BY 3.0. Last accessed 1/20/16. http://www.flaticon.com/free-icon/sun_22893

Ӣмя и фами́лия: ______________________________ Число́: ______________

Уро́к 8: часть 1

8.1 Упражне́ние А. Москва́ и́ли Петербу́рг

In this episode Amanda's friends discuss the differences between Moscow and Petersburg and explain the differences between types of trains that she can take to Moscow. Complete the following tables with the exact Russian phrases that describe the features of the trains and cities.

а. Поезда́

ночно́й по́езд	экспре́сс-по́езд

б. Города́

Москва́	Петербу́рг

И́мя и фами́лия: ____________________ Число́: __________

8.1 Упражне́ние Б. Москва́ и́ли Петербу́рг

Complete Oleg's summary of the events in this episode using the word bank provided. Note that all of the words are in their appropriate forms. There are four extra words.

столи́цу	**права́**	**краси́вее**
Же́не	**зачём**	**удо́бнее**
маши́ну	**Ама́нде**	**маши́н**
Ама́нда	**по́езд**	**в го́сти**
Же́ня	**бо́льше**	**Же́ней**

Вчера́ мы с ______________ бы́ли у Ка́ти. Она́ помога́ла ______________ купи́ть биле́т на ______________. Я не понима́ю, ______________ Ама́нда хо́чет пое́хать в Москву́. По-мо́ему Москва́ сли́шком большо́й го́род. Там мно́го ______________ и про́бок. Но Ка́тя говори́т, что Ама́нде на́до посмотре́ть ______________ страны́. В э́том она́, наве́рное, ______________, но э́то не зна́чит, что Москва́ культу́рный центр страны́. Мы с Же́ней объясни́ли, что центр Петербу́рга гора́здо ______________, чем центр Москвы́, и что в це́нтре Петербу́рга ______________ интере́сных дворцо́в и мосто́в. ______________ о́чень не понра́вилось, что Ама́нда е́дет туда́ ______________ к како́му-то Дени́су.

И́мя и фами́лия: ____ Число́: ____________

8.1 Упражне́ние B. Comparisons

Read each prompt below, and then complete the related dialogs by filling in each blank with one of the following comparatives: **бо́льше**, **ме́ньше**, **лу́чше**, **ху́же**.

1. Кварти́ра А́нны Петро́вны — 42 ме́тра, а кварти́ра Петра́ Андре́евича 50 ме́тров.

   — Зна́чит, его́ кварти́ра ______________, чем её.

   — Да, её кварти́ра ______________, чем его́.

2. Сего́дня Све́та непло́хо выступа́ла (performed) на конце́рте. А вчера́ у неё был ужа́сный конце́рт.

   — Све́та сего́дня пе́ла ______________, чем вчера́.

   — Жаль, что Све́та вчера́ пе́ла ______________, чем сего́дня.

3. Оле́гу нра́вится пого́да ле́том, когда́ быва́ет гра́дусов 25. А зимо́й, когда́ быва́ет два-три гра́дуса, пого́да ему не нра́вится.

   — Зна́чит, Оле́г лю́бит ле́то ______________, чем зи́му.

   — Да, он лю́бит зи́му ______________, чем ле́то.

4. И́горь Влади́мирович чита́ет интере́сные ле́кции, а Алекса́ндр Васи́льевич чита́ет о́чень интере́сные ле́кции.

   — Зна́чит, ле́кции Алекса́ндра Васи́льевича ______________, чем ле́кции И́горя Влади́мировича.

   — Ра́зве ле́кции И́горя Влади́мировича ______________, чем ле́кции Алекса́ндра Васи́льевича?

И́мя и фами́лия: ____________________ Число́: __________

8.1 Упражне́ние Г. Comparisons

Read each prompt below and make a logical comparison between the two elements. Remember that you need parallel constructions in the two halves of your sentence; the construction following "comparative + **чем**" should match the construction that precedes it. One has been done for you as a model.

0. Рома́н «Ма́стер и Маргари́та» — интере́сная кни́га. Уче́бник по исто́рии — дово́льно ску́чная кни́га.

   Рома́н «Ма́стер и Маргари́та» интере́снее, чем уче́бник по исто́рии. И́ЛИ

   Уче́бник по исто́рии скучне́е, чем рома́н «Ма́стер и Маргари́та».

1. Сейча́с в спа́льне 26 гра́дусов по Це́льсию, а в ва́нной то́лько 20 гра́дусов.

   ____

2. Сего́дня 4 гра́дуса на у́лице. Вчера́ бы́ло 8 гра́дусов.

   ____

3. Спа́льня — 12 ме́тров, а ку́хня — 6 ме́тров.

   ____

4. Рюкза́к сто́ит 500 рубле́й, а ча́йник сто́ит 1000 рубле́й.

   ____

5. Сего́дня пого́да хоро́шая, а вчера́ она́ была́ плоха́я.

   ____

6. Сего́дня све́тит со́лнце, а вчера́ шёл дождь.

   ____

7. В на́шей кварти́ре 2 ко́мнаты, а в ва́шей кварти́ре 4 ко́мнаты.

   ____

8. Наде́жде Петро́вне 38 лет, а Алексе́ю Анто́новичу 41 год.

   ____

9. Га́ля помога́ет всем студе́нтам. На́стя никогда́ не отвеча́ет на вопро́сы студе́нтов.

   ____

10. Ле́кция по биоло́гии не о́чень интере́сная, а ле́кция по хи́мии про́сто ску́чная.

    ____

И́мя и фами́лия: ______________________________ Число́: ____________

8.1 Упражне́ние Д. Expressing Quantities with мно́го

Complete each sentence with words from the word bank that are logically appropriate for the context. You will need to put the words you choose into the genitive plural form.

диссерта́ция	**кни́га**	**соба́ка**
компью́тер	**студе́нт**	**журна́л**
чемода́н	**па́рк**	**слова́рь**
	статья́	

1. В университе́тской библиоте́ке мо́жно найти́ мно́го ________, ________, ________, ________ и ________.

дива́н	**компью́тер**	**соба́ка**
буты́лка	**ту́мбочка**	**зе́ркало**
стол	**моби́льник**	**крова́ть**
	кре́сло	

2. В магази́не ме́бели “Ваш дом” продаю́т мно́го хоро́ших ________, ________, ________, ________ и ________.

шкаф	**полоте́нце**	**це́рковь**
ме́сто	**па́мятник**	**зда́ние**
магази́н	**теа́тр**	**библиоте́ка**
	кре́сло	

3. В ва́шем го́роде мно́го интере́сных ________, ________, ________, ________ и ________.

стака́н	**кастрю́ля**	**ло́жка**
ви́лка	**це́рковь**	**таре́лка**
буты́лка	**крова́ть**	**ча́йник**
	но́ж	

4. У нас на ку́хне мно́го ________, ________, ________, ________ и ________.

И́мя и фами́лия: ______________________________ Число́: ______________

8.1 Упражне́ние Е. Numbers and the Genitive Case

In each of the following sentences, a person is talking about his/her possessions. Circle the form of the number required by the grammatical context. Then circle the number of the sentences that are true for you. The first one has been done for you as a model.

(0.) У нас в до́ме [**оди́н** \ **одна́** \ **одно́** \ (**два**) \ **две**] этажа́.

1. В на́шем до́ме [**четы́ре** \ **пять**] ко́мнат: гости́ная, столо́вая, ку́хня и [**оди́н** \ **одна́** \ **одно́** \ **два** \ **две** \ **пять**] спа́льни.
2. У нас в ку́хне [**оди́н** \ **одна́** \ **одно́** \ **два** \ **две**] холоди́льника.
3. У нас в гости́ной [**два** \ **две** \ **пять**] кре́сла.
4. У нас в гости́ной [**оди́н** \ **одна́** \ **одно́** \ **два** \ **две** \ **пять**] дива́н.
5. У нас в столо́вой стол и [**четы́ре** \ **шесть**] сту́льев.
6. У нас в до́ме [**оди́н** \ **одна́** \ **одно́** \ **два** \ **две**] ва́нная.
7. У нас в гараже́ стои́т [**оди́н** \ **одна́** \ **одно́** \ **два** \ **две**] маши́на.
8. У меня́ в спа́льне [**оди́н** \ **одна́** \ **одно́** \ **два** \ **две**] окна́.
9. У меня́ в спа́льне [**оди́н** \ **одна́** \ **одно́** \ **два** \ **две** \ **пять**] компью́тера.
10. У меня́ в спа́льне [**оди́н** \ **одна́** \ **одно́** \ **два** \ **две** \ **пять**] крова́ть.
11. У меня́ в спа́льне [**оди́н** \ **одна́** \ **одно́** \ **два** \ **две** \ **пять**] ла́мпы.

8.1 Упражне́ние Ж. The Meanings of оди́н, одна́, одно́, одни́

The word **оди́н** is used in several different ways in Russian, and depending on context can be translated into English as:

- one
- alone; by oneself
- the same; one and the same
- only; nothing but

Read the sentences below and write in which meaning **оди́н** has in the given context. The sentences are in the order that you encountered them in our story.

	English equivalent
1. Семья́ Же́ни живёт в **одно́й** и той же кварти́ре всю жизнь.	
2. *Все студе́нты*: Вы е́здите туда́ **одна́**? *Ми́ла*: Нет, не всегда́ **одна́**. Но э́то, дороги́е студе́нты, совсе́м друга́я те́ма…	
3. *Же́ня*: Пе́рвое января́ — Но́вый год. Седьмо́е января́ — Рождество́. Четы́рнадцатое января́ — ста́рый Но́вый год. Нача́ло января́ — **одни́** пра́здники.	
4. *Ли́за*: Ты — ковбо́й? *То́ни*: … Ты ду́маешь, что в Теха́се живу́т **одни́** ковбо́и?	
5. *Светла́на Бори́совна*: С кем ты разгова́ривал? *Джош*: С Ни́ной, подру́гой Анто́на. *Светла́на Бори́совна*: А кто таки́е Анто́н и Ни́на? *Джош*: Мы с ни́ми у́чимся на **одно́м** факульте́те.	
6. *Официа́нтка*: Что бу́дете на десе́рт? *Джош*: Капучи́но и моро́женое, пожа́луйста. *Анто́н*: Ещё **одно́** капучи́но и ещё **одно́** моро́женое.	
7. Ке́йтлин не зна́ла, что де́лать, ведь хозя́ева уже́ улете́ли. Она́ о́чень боя́лась быть в аэропорту́ **одна́**.	
8. [Ке́йтлин] … ду́мала, что роди́тели бу́дут отмеча́ть Но́вый год **одни́**, без неё.	
9. Э́то был **оди́н** из на́ших сосе́дей-музыка́нтов, кото́рые живу́т наверху́.	

И́мя и фами́лия: ______________________________ Число́: __________

8.1 Упражне́ние 3. Personalized Inventory

You are writing a small description of your room/apartment to share with an online Russian acquaintance. Complete each sentence with nouns from the word bank so that the sentences describe your current living situation. Note that after **мно́го**, **ма́ло**, **не́сколько** and **нет** you will need to use the genitive case. In the last sentence, make sure that you match the form of **оди́н** with the gender of the item you choose. You may use other words that you know in order to make the sentences true for you.

чемода́н	**кни́га**	**га́лстук**
костю́м	**компа́кт-диск**	**ку́ртка**
учёбник	**сви́тер**	**руба́шка**
ноутбу́к	**жаке́т**	**кастрю́ля**
плака́т (poster)	**крова́ть**	**тетра́дь**
ю́бка	**слова́рь**	**ла́мпа**
футбо́лка	**??**	

У меня́ в ко́мнате в общежи́тии / У меня́ в кварти́ре / У меня́ до́ма ...

1. мно́го______________, ______________ и ______________.
2. ма́ло______________, ______________ и ______________.
3. не́сколько______________, ______________ и ______________.
4. совсе́м нет ______________, ______________ и́ли ______________.
5. то́лько оди́н ______________, одна́ ______________ и одно́ ______________.

И́мя и фами́лия: ______________________ Число́: __________

8.1 Упражне́ние И. Больша́я семья́

Make complete Russian sentences out of the elements between the slashes to describe Tony's family. Remember that after the numbers 2, 3 and 4 you will need genitive singular forms of the noun, while after 5 you will need genitive plural forms. Remember that **у** constructions also require genitive case forms.

1. У / То́ни / большо́й / семья́ / .

   ____

2. У / он / три / сестра́ / и / два / брат / .

   ____

3. Зна́чит / , / в / семья́ / шесть / де́ти / .

   ____

4. У / оте́ц / три / брат / и / оди́н / сестра́ / , / а / у / мать / два / брат / и / четы́ре / сестра́ / .

   ____

   ____

5. Зна́чит / , / у / То́ни / пять / дя́дя / и / пять / тётя / и / мно́го / двою́родный / брат / и / сестра́ / .

   ____

   ____

8.1 Упражне́ние К. Два го́рода

Think about the city in which you are currently studying and about another city that you know well. Then complete the following sentences comparing their features. One has been done for you.

0. В го́роде Нью-Йо́рке бо́льше интере́сных теа́тров, чем в Чика́го.
1. В го́роде ______ бо́льше ______, чем в ______.
2. В го́роде ______ бо́льше ______, чем в ______.
3. В го́роде ______ бо́льше ______, чем в ______.
4. В го́роде ______ бо́льше ______, чем в ______.
5. В го́роде ______ ме́ньше ______, чем в ______.
6. В го́роде ______ ме́ньше ______, чем в ______.
7. В го́роде ______ ме́ньше ______, чем в ______.
8. В го́роде ______ ме́ньше ______, чем в ______.

8.2 Упражне́ние А. Ваш Дени́с и наш Дени́с

Match the beginning of each sentence with its logical and grammatically correct conclusion to summarize the main information in this episode.

____	1.	Рюкза́к у Ама́нды тяжёлый, потому́ что…	а.	его́ тётя зна́ет Ама́нду.
____	2.	Ама́нда прие́хала…	б.	в Стэ́нфордский университе́т.
____	3.	Ама́нда родила́сь…	в.	встреча́ть Ама́нду на вокза́ле.
____	4.	По́сле шко́лы Ама́нда поступи́ла…	г.	в нём мно́го книг.
____	5.	Ама́нда зако́нчила…	д.	задава́ть таки́е вопро́сы взро́слым.
____	6.	На́стя не должна́…	е.	зна́ет одного́ Дени́са в МГУ.
____	7.	Дени́с до́лжен…	ж.	и вы́росла в Сан-Франци́ско.
____	8.	Же́нщина, кото́рая е́дет в по́езде, то́же…	з.	с до́черью в Москву́ к бра́ту.
____	9.	Дени́с не сра́зу понима́ет, отку́да…	и.	к роди́телям на день рожде́ния отца́.
____	10.	Дени́с приглаша́ет Ама́нду…	к.	придёт к ним в го́сти.
____	11.	Же́нщина в по́езде е́дет…	л.	из Калифо́рнии.
____	12.	Ама́нда с удово́льствием…	м.	Стэ́нфордский университе́т и тепе́рь у́чится в аспиранту́ре.

8.2 Упражне́ние Б. О жи́зни Зо́и Степа́новны

1. Tony has learned quite a bit about Zoya Stepanovna's life over the course of the year. Listen to his brief summary and fill in the missing words.

   В нача́ле го́да я ничего́ не знал о биогра́фии Зо́и Степа́новны. А тепе́рь я зна́ю дово́льно мно́го, потому́ что Зо́я Степа́новна лю́бит ______________ о свое́й жи́зни. Зоя́ Степа́новна ______________ в дере́вне, недалеко́ от Яросла́вля. Там она́ ______________ и пошла́ в шко́лу. По́сле шко́лы она́ ______________ в Яросла́вский медици́нский институ́т и учи́лась там пять лет. Когда́ она́ ______________ институ́т, она́ ста́ла рабо́тать в поликли́нике. В э́то вре́мя она́ уже́ была́ ______________ за Влади́миром Серге́евичем. Он был на три го́да ______________, чем Зо́я Степа́новна. Он ______________ и ______________ в Яросла́вле. По́сле шко́лы он служи́л (served) в а́рмии два го́да, а пото́м он ______________ в Яросла́вский техни́ческий институ́т, кото́рый он ______________, когда́ ему́ бы́ло 24 го́да. Он ______________ хи́мией.

2. Now that you have listened to Tony's comments, help him to summarize the information in English so that he can share it with his parents.

	was born in…	**studied at…**	**worked as…**
Zoya Stepanovna			
Vladimir Sergeevich			

3. What is the relationship between Zoya Stepanovna and Vladimir Sergeevich?

И́мя и фами́лия: ______________________________ Число́: ____________

8.2 Упражне́ние B. Life-Event Verbs and Their Complements

Review the verbs related to life events, paying particular attention to the cases that their complements take. Then select the phrase that completes the sentence grammatically.

1. Све́та родила́сь ____
   а. в Томск.
   б. в То́мске.
2. Она́ вы́росла ____
   а. в Ирку́тск.
   б. в Ирку́тске.
3. Когда́ ей бы́ло семь лет, она́ пошла́ ____
   а. шко́лу.
   б. в шко́лу.
   в. в шко́ле.
4. По́сле шко́лы она́ поступа́ла ____, но не поступи́ла.
   а. университе́т
   б. в университе́т
   в. в университе́те
5. Она́ рабо́тала два го́да и поступи́ла ____
   а. Фина́нсовую акаде́мию.
   б. в Фина́нсовую акаде́мию.
   в. в Фина́нсовой акаде́мии.
6. В про́шлом году́ она́ зако́нчила ____
   а. Фина́нсовую акаде́мию.
   б. в Фина́нсовую акаде́мию.
   в. в Фина́нсовой акаде́мии.
7. Она́ за́мужем ____
   а. на Ви́кторе.
   б. с Ви́ктором.
   в. за Ви́ктором.
8. В ноябре́ у неё роди́лся ____
   а. сын.
   б. сы́на.

И́мя и фами́лия: ______________________ Число́: __________

8.2 Упражне́ние Г. К кому́ де́ти хо́дят учи́ться?

The parents of Petya, Olya and Ira have hired tutors to help them get into university. The children go for tutoring once a week according to the schedule below. Write five sentences indicating to whom each child goes and on what day. One has been done for you as an example.

Пн	Вт	Ср	Чт	Пт	Сб
Пе́тя	И́ра	О́ля	Пе́тя	И́ра	О́ля
И́горь Петро́вич	Васи́лий Макси́мович	Мари́я Васи́льевна	Ири́на Андре́евна	Анто́н Фёдорович	Ната́лья Дми́триевна
уро́к матема́тики	уро́к англи́йского языка́	уро́к неме́цкого языка́	уро́к ру́сского языка́	уро́к исто́рии	уро́к фи́зики

0. В понеде́льник Пе́тя хо́дит к И́горю Петро́вичу на уро́к матема́тики.
1. ______________________
2. ______________________
3. ______________________
4. ______________________
5. ______________________

И́мя и фами́лия: ______________________________ Число́: ____________

8.2 Упражне́ние Д. To/From

You see Russian acquaintances coming and going all around campus. Fill in the blanks with one of the "to/from" prepositions (**в/из**, **на/с**, **к/от**) to make the sentences below grammatically correct. The place will help you to determine which "to/from" pair you need, and the case ending for the place will determine which preposition of the pair you will need. In the long blank after the sentence, note whether you would translate the given form of the verb **идти́** as "going to" or "coming from." One has been done for you as an example.

> The noun **столо́вая** is used with the prepositions **в/из**. Since **столо́вой** is in the genitive (rather than the accusative) case, you know to use **из** in the blank.

0. Воло́дя идёт __из__ столо́вой. ______coming from______
1. Са́ша идёт ____ музе́й. ____________
2. Га́ля идёт ____ библиоте́ки. ____________
3. Ма́ша идёт ____ по́чту. ____________
4. Ната́ша идёт ____ заня́тия ____ Профе́ссору Сми́ту. ____________
5. Мари́на идёт ____ кни́жного магази́на. ____________
6. Лю́ба идёт ____ общежи́тие ____ но́вым друзья́м. ____________
7. То́ля идёт ____ вы́ставку. ____________
8. Али́на идёт ____ це́ркви. ____________
9. Серёжа идёт ____ па́рка. ____________
10. Оле́г идёт ____ общежи́тия ____ друзе́й. ____________

8.2 Упражне́ние Е. Ма́ленькие слова́

Match each Russian word to its English equivalent.

____	1. вон	а.	glad
____	2. сам / сама́	б.	apparently
____	3. рад / ра́да	в.	excellent
____	4. прости́те	г.	rather
____	5. отли́чно	д.	from where; how
____	6. нет пока́	е.	over there
____	7. отку́да	ж.	but then
____	8. ви́дно	з.	too
____	9. дово́льно	и.	important
____	10. всё равно́	к.	myself
____	11. зато́	л.	excuse me
____	12. сли́шком	м.	all the same
____	13. ва́жно	н.	not yet

Ймя и фами́лия: ______________________ Числó: __________

8.2 Упражнéние Ж. Translation

Imagine that you are riding on a long-distance train and are talking with an older Russian woman who is sharing the compartment with you. Translate the conversation below using expressions from this episode. English words in square brackets will not have direct equivalents in Russian.

1. *Woman*: I am going to [see] my son in Omsk.

____

2. Last year he enrolled at the university. He is studying English literature.

____

____

3. Where are you from?

____

4. *You*: From New York. I came to Russia for a year to study at the European University.

____

5. *Woman*: Where are you going now?

____

6. *You*: I am going to [visit] a friend in Irkutsk. His name is Josh Stein.

____

7. *Woman*: Irkutsk is a pretty city. I grew up there.

____

8. There are many interesting places there. And you should see (*посмотрéть*) Lake Baikal.

____

____

И́мя и фами́лия: ______________________________ Число́: ______________

8.2 Упражне́ние 3. Сочине́ние

Write an email responding to a Russian friend who has asked you about the city in which you go to school and how it compares to the city in which you were born and grew up. Tell your friend which city you like more and why. Which city has interesting clubs? Museums? Restaurants?

____

____

____

____

____

____

____

____

____

____

Уро́к 8: часть 2

8.3 Упражне́ние А. Москва́ не сра́зу стро́илась

Amanda's brief outing with Denis gives you a chance to learn about well-known cultural sites in and around the Moscow Kremlin. Label the places shown below in Russian and then provide English equivalents of their names and one or two things you learned about each place.

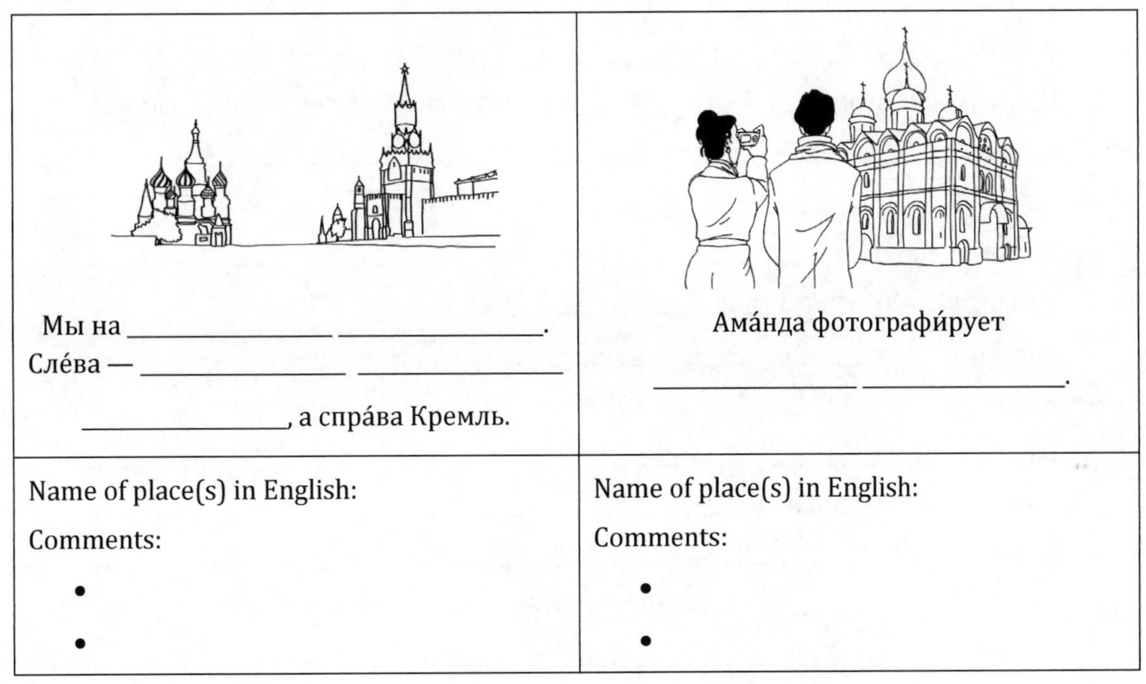

Мы на ____________ ____________. Сле́ва — ____________ ____________ ____________, а спра́ва Кремль.	Ама́нда фотографи́рует ____________ ____________.
Name of place(s) in English: Comments: • •	Name of place(s) in English: Comments: • •

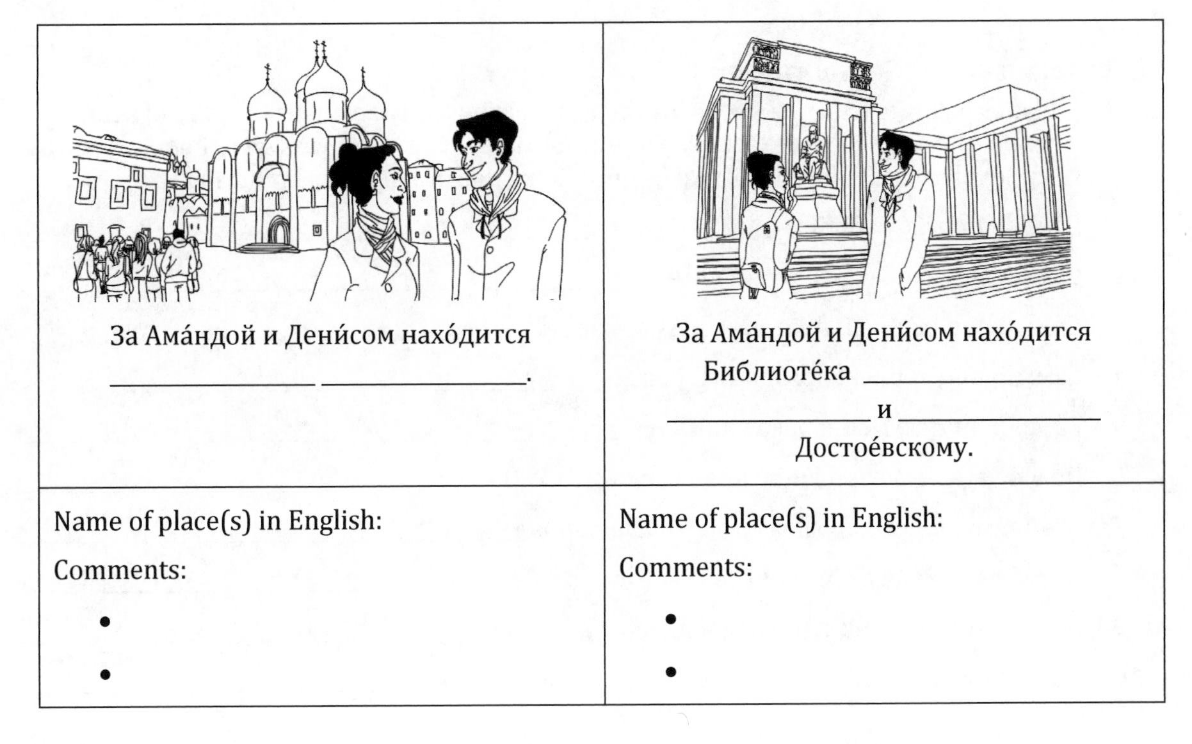

За Ама́ндой и Дени́сом нахо́дится ____________ ____________.	За Ама́ндой и Дени́сом нахо́дится Библиоте́ка ____________ ____________ и ____________ Достое́вскому.
Name of place(s) in English: Comments: • •	Name of place(s) in English: Comments: • •

Имя и фами́лия: ______________________________ Число́: ____________

8.3 Упражне́ние Б. Но́вые слова́

Fill in the blanks with words from the text of this episode. Then provide an English equivalent of the entire sentence.

1. Там ____________ биле́ты в Кремль.
   English: ______________________________
2. У тебя́ есть с собо́й ____________ биле́т?
   English: ______________________________
3. С таки́м рюкзако́м ____________ входи́ть на террито́рию Кремля́.
   English: ______________________________
4. В Кремле́ ____________ фотографи́ровать?
   English: ______________________________
5. Там бы́ло о́чень мно́го ____________.
   English: ______________________________
6. Како́й ____________ сле́дующий?
   English: ______________________________
7. У меня́ в Москве́ так ма́ло ____________.
   English: ______________________________
8. Ты ____________ из метро́, и музе́й ря́дом. Э́то о́чень про́сто и удо́бно.
   English: ______________________________

8.3 Упражне́ние В. Superlatives

Fill in the blanks below to describe people or things which possess the highest degree of some quality. Some of the sentences are factual, while others allow you to express an opinion. Be sure to check a reliable internet site for the factual information if you are not sure of the answer.

1. Са́мый большо́й го́род в США — ______________________________.
2. Са́мый большо́й го́род в Росси́и — ______________________________.
3. Са́мый популя́рный пра́здник в Аме́рике — ______________________________.
4. Са́мый популя́рный пра́здник в Росси́и — ______________________________.
5. Са́мая дли́нная (long) река́ в США — ______________________________.
6. По-мо́ему, са́мое прия́тное вре́мя го́да (season) — ______________________________.
7. По-мо́ему, са́мое хоро́шее кафе́ в на́шем го́роде — ______________________________.
8. По-мо́ему, са́мая вку́сная ку́хня (cuisine) в ми́ре — ____________ ку́хня.
9. По-мо́ему, са́мый тала́нтливый актёр в Аме́рике — ______________________________.
10. По-мо́ему, са́мая тала́нтливая актри́са в Аме́рике — ______________________________.

И́мя и фами́лия: ______________________ Число́: __________

8.3 Упражне́ние Г. У нас в университе́те

You are trying to convince a Russian friend how fantastic your university is in hopes of getting her/him to take part in an exchange program. Write six sentences using superlative forms of the adjectives below to make your case. You may also point out good things about the city/region if you think that will help. One sentence has been done for you as an example.

~~хоро́ший~~	**интере́сный**	**большо́й**
высо́кий	**тру́дный**	**сло́жный**
ма́ленький	**дорого́й**	**вку́сный**
	краси́вый	

0. У нас в университе́те у́чатся са́мые хоро́шие студе́нты Аме́рики.
1. ______________________
2. ______________________
3. ______________________
4. ______________________
5. ______________________
6. ______________________

И́мя и фами́лия: ________________________________ Число́: ____________

8.3 Упражне́ние Д. В како́м ве́ке?

Your Russian instructor is telling you about people, places and things in Russia that are associated with specific centuries throughout the country's history. Listen to the statements and write in the missing century using Roman numerals.

1. Дми́трий Донско́й жил в ________ ве́ке.
2. Пётр Пе́рвый роди́лся в ________ ве́ке.
3. Достое́вский и Турге́нев писа́ли свои́ рома́ны в ________ ве́ке.
4. Каза́нь ста́ла ру́сским го́родом в ________ ве́ке.
5. В Росси́и в нача́ле ________ ве́ка бы́ло три револю́ции.
6. Пе́рвый Зи́мний дворе́ц в Петербу́рге постро́или в ________ ве́ке.
7. В Каза́ни постро́или метро́ в нача́ле ________ ве́ка.
8. Рефо́рмы Горбачёва начали́сь в конце́ ________ ве́ка.

8.3 Упражне́ние Е. Verbs With and Without -ся

Read the following scenarios, and circle the verb that best fits the grammatical context. If you select a verb without -**ся**, draw an arrow from the verb to its direct object.

0. В шко́ле уро́к ру́сского языка́ у нас [**начина́л** / **начина́лся**] ка́ждое у́тро в 9:30. Наш учи́тель [**начина́л** / **начина́лся**] ка́ждый уро́к с вопро́са: "Как дела́, ребя́та?"

1. Неда́вно на на́шей у́лице [**откры́ла** / **откры́лась**] пиццери́я. Вчера́ мы пошли́ туда́ на обе́д, но, к сожале́нию, рестора́н [**открыва́ет** / **открыва́ется**] то́лько в 17 часо́в.

2. Студе́нты обы́чно не [**закрыва́ют** / **закрыва́ются**] в аудито́рии о́кна, е́сли преподава́тели их [**открыва́ют** / **открыва́ются**].

3. Заня́тия у Ма́ши в э́том семе́стре о́чень тру́дные. Вчера́ она́ занима́лась весь день в библиоте́ке. Она́ [**начала́** / **начала́сь**] занима́ться по́сле обе́да в два часа́. Она́ сиде́ла и чита́ла свои́ конспе́кты. В де́вять часо́в она́ [**зако́нчила** / **зако́нчилась**] занима́ться и пошла́ домо́й.

4. — Во ско́лько [**начина́ет** / **начина́ется**] semина́р у Ама́нды?

   — В три.

   — А когда́ Ама́нда [**зако́нчила** / **зако́нчилась**] гото́вить презента́цию?

   — В два.

   — А что бы́ло пото́м?

   — Когда́ семина́р [**зако́нчил** / **зако́нчился**], она́ пошла́ к Же́не.

И́мя и фами́лия: ______________________ Число́: __________

8.3 Упражне́ние Ж. Вре́мя

Fill in the blanks with units of time to make the following statements true. Make sure to put each answer in the grammatical form required by the number that precedes the blank. One has been done for you as an example.

0. одна́ мину́та = шестьдесят секу́нд______.
1. оди́н час = шестьдеся́т ____________.
2. оди́н день = два́дцать четы́ре ____________.
3. одна́ неде́ля = семь ____________.
4. оди́н ме́сяц = три́дцать ____________ и́ли три́дцать один ____________ (кро́ме февраля́).
5. оди́н год = двена́дцать ____________.
6. оди́н век = сто ____________.

8.3 Упражне́ние З. The Verbs выходи́ть/вы́йти and входи́ть/войти́

Fill in the blanks with appropriate verbs from the word bank. Note that the verbs are already in their correct forms.

вы́шла	**выхо́дит**	**вхо́дит**

Ри́мма Ю́рьевна о́чень пунктуа́льная. Ка́ждое у́тро она́ ______________ из до́ма в 7:45. Она́ прихо́дит в шко́лу в 8:20 и ______________ в класс во́время. А сего́дня у́тром всё бы́ло не так. Ри́мма Ю́рьевна ________________ из до́ма то́лько в 8 часо́в, и поэ́тому она́ опозда́ла на пе́рвый уро́к.

вы́шли	**вошла́**	**вошёл**
	вы́шел	

Понеде́льник — тяжёлый день. Ке́йтлин опозда́ла на пе́рвую па́ру на пять мину́т. Она́ ______________ в аудито́рию в 9:35, но э́то не была́ пробле́ма, потому́ что преподава́теля там ещё не́ было. Анато́лий Миха́йлович ______________ в аудито́рию в 9:40. Он опозда́л, потому́ что ксе́рокс не рабо́тал. Вме́сто (instead of) обы́чных упражне́ний он на́чал чита́ть студе́нтам вслух (aloud) стихотворе́ние (poem). В 10 часо́в он сказа́л, что ко́пии должны́ быть гото́вы. Он ____________________ из аудито́рии, и че́рез две мину́ты он верну́лся с ко́пиями. В 10:50 уро́к зако́нчился, и все студе́нты ____________ из аудито́рии.

И́мя и фами́лия: ______________________________ Число́: ______________

8.4 Упражне́ние А. Ама́нда в Третьяко́вской галере́е

Fill in the blanks with words from the word bank to complete the summary of this episode. The items in word bank are in their dictionary forms, so you will need to modify them to fit the grammatical context. There are no extra words.

биогра́фия	**кто́-то**	**како́й-нибудь**
стоя́ть	**сове́товать**	**слы́шать**
прие́хать	**Викто́рия**	**дава́ть**
эсэмэ́ска	**свобо́ден**	**худо́жник**

Ама́нда ______________ пе́ред карти́ной «Де́мон сидя́щий», когда́ она́ получа́ет ______________ от Дени́са. Она́ о́чень лю́бит э́ту карти́ну, потому́ что у Вру́беля здесь о́чень интере́сные цвета́. Ама́нда о́чень удивля́ется, когда́ она́ ______________, как ______________ её зовёт. Ока́зывается (it turns out), что э́то Ке́вин и Э́мма, её студе́нты с (from) про́шлого го́да. Они́ ______________ в Москву́ на семе́стр учи́ться. Они́ сейча́с в Третьяко́вке с ______________, их ру́сской знако́мой. Ама́нда расска́зывает им о ______________ Вру́беле и его́ карти́не. Ама́нда непло́хо зна́ет ______________ Вру́беля.

Пото́м Ама́нда объясня́ет Викто́рии, что её пригласи́ли на день рожде́ния. Она́ спра́шивает Викто́рию, ну́жно ей купи́ть ______________ пода́рок и́ли нет. Викто́рия ______________ Ама́нде подари́ть отцу́ Дени́са како́й-нибудь небольшо́й сувени́р из музе́я.

В конце́ разгово́ра Ама́нда предлага́ет (suggests) Э́мме и Ке́вину пойти́ в кафе́ ве́чером, потому́ что в э́тот день она́ ______________. Ама́нда ______________ свой телефо́н Ке́вину.

8.4 Упражне́ние Б. Ама́нда в Третьяко́вской галере́е

In the third dialogue in this episode, Amanda gives some background information about a famous Russian artist. Answer the following questions in English based on what Amanda says about him in the text.

1. What is the artist's last name? ______________________________
2. What happened in 1856? ______________________________
3. What two educational institutions did the artist attend? ______________________________
____
4. What happened in 1890? ______________________________
5. The painting *Де́мон сидя́щий* is connected with which writer? ______________.

Имя и фами́лия: ______________________________ Число́: ____________

8.4 Упражне́ние В. Verbs of Position

a. Read the following sentences and indicate how accurately they describe the location of people and things in the picture by marking them **В** (**Э́то ве́рно**) or **Н** (**Э́то неве́рно**). If you mark a sentence as **неве́рно**, change the verb of position to make the statement accurate.

Э́то ве́рно/ неве́рно	
____	1. Пе́ред Ама́ндой на стене́ виси́т календа́рь.
____	2. На пи́сьменном столе́ лежи́т тетра́дь с конспе́ктами.
____	3. Ама́нда стои́т за (at) пи́сьменным столо́м и рабо́тает.
____	4. Спра́ва от пи́сьменного стола́ лежа́т кни́жные по́лки.
____	5. На пи́сьменном столе́ Ама́нды лежи́т ча́йник.
____	6. На стене́ ря́дом с кни́жными по́лками сиди́т календа́рь.
____	7. На по́лках стоя́т кни́ги.
____	8. На пи́сьменном столе́ Ама́нды стои́т компью́тер.
____	9. Пи́сьменный стол Ама́нды стои́т у стены́.

б. Noticing word order. Using the sentences above as a guide, number the components below to reflect the order in which they most often appear.

____ Subject

____ Verb

____ Locational phrase

И́мя и фами́лия: ______________________________ Число́: ____________

8.4 Упражне́ние Г. Describing a Picture

Write ten sentences in Russian to describe the picture below. Pay attention to word order and to the use of appropriate verbs of position in your sentences. You may find the following words and phrases helpful:

- сто́лик (a small table)
- ва́за с цвета́ми (vase with flowers)
- поду́шка (pillow)

1. ______________________________
2. ______________________________
3. ______________________________
4. ______________________________
5. ______________________________
6. ______________________________
7. ______________________________
8. ______________________________
9. ______________________________
10. ______________________________

И́мя и фами́лия: ____________________ Число́: __________

8.4 Упра́жнение Д. Слу́шаем да́ты

You will hear sentences in which someone gives the years in which important family events took place. Fill in the missing words, writing the years as numbers rather than words. One has been done for you as an example.

0. Па́па роди́лся __в__ __1932-ом__ __году́__.
1. Он зако́нчил шко́лу ____ ____________ ________.
2. Роди́тели пожени́лись ____ ____________ ________.
3. Ста́ршая сестра́ родила́сь ____ ____________ ________.
4. Брат роди́лся ____ ____________ ________.
5. Я родила́сь ____ ____________ ________.
6. Моя́ мла́дшая сестра́ родила́сь ____ ____________ ________.
7. Брат жени́лся ____ ____________ ________.
8. Моя́ племя́нница родила́сь ____ ____________ ________.
9. Брат перее́хал в Ога́йо ____ ____________ ________.

8.4 Упра́жнение Е. Пи́шем да́ты

How would you ask someone the year in which s/he was born?

— В ____________ году́ вы роди́лись?

Now answer this question for yourself, writing out the date in words:

— Я роди́лся/родила́сь ________________________________

____.

8.4 Упражнение Ж. Год рожде́ния

a. Use google.ru to find out the year in which the following people were born. Each answer should include the preposition **в**, the year written out as words, and the word **году́** (the prepositional case form of **год**).

1. Влади́мир Пу́тин роди́лся ____ ________________________

   ________________________________ ________.
2. Ви́ктор Пеле́вин роди́лся ____ ________________________

   ________________________________ ________.
3. Мари́я Шара́пова родила́сь ____ ________________________

   ________________________________ ________.
4. Ники́та Михалко́в роди́лся ____ ________________________

   ________________________________ ________.

б. Match the person on the left with the appropriate description on the right.

1. ____ Влади́мир Пу́тин	а.	изве́стный росси́йский актёр и режиссёр
2. ____ Ви́ктор Пеле́вин	б.	изве́стная росси́йская актри́са
3. ____ Мари́я Шара́пова	в.	росси́йский шахмати́ст
4. ____ Ники́та Михалко́в	г.	изве́стный ру́сский писа́тель
	д.	изве́стная росси́йская теннси́стка
	е.	росси́йский поли́тик

8.4 Упражне́ние 3. Indefinite Expressions

Use the indefinite expressions in the word bank to fill in the blanks in the sentences below.

кого́-нибудь	**что́-нибудь**	**когда́-нибудь**
где́-нибудь	**куда́-нибудь**	**како́е-нибудь**

1. — Вы ____________ бы́ли в Росси́и?
   — Пока́ нет, но о́чень хочу́ пое́хать туда́.

2. В понеде́льник у́тром наш преподава́тель всегда́ спра́шивает нас: «Вы ____________ ходи́ли в суббо́ту и́ли в воскресе́нье?»

3. Пеле́вин — о́чень интере́сный совреме́нный писа́тель. Вы ____________ о нём зна́ете?

4. — Вы бу́дете жить в до́ме и́ли в кварти́ре?
   — Не зна́ю. Наве́рное, мы ку́пим кварти́ру ____________ в це́нтре.

5. — Вы ви́дели ____________ из на́шей гру́ппы в музе́е?
   — Не по́мню. Там бы́ло о́чень мно́го наро́ду.

6. — Где на́ши го́сти бу́дут обе́дать?
   — Не зна́ю. Они́, наве́рное, пойду́т в ____________ кафе́.

8.4 Упражне́ние И. Indefinite Expressions

Match the the beginning of each sentence with its logical conclusion.

____ 1. Как вы ду́маете? Дени́с…	а.	на како́й-то като́к с друзья́ми.
____ 2. Ке́йтлин тепе́рь зна́ет…	б.	хо́дит на како́й-нибудь спекта́кль с Ю́рием Никола́евичем.
____ 3. Зо́я Степа́новна зна́ет, что То́ни тепе́рь ка́ждую неде́лю…	в.	что её Оле́г живёт в како́й-то просто́й ко́мнатке, где нет да́же ла́мпы.
____ 4. На семина́ре, когда́ у Ама́нды не́ было презента́ции, преподава́тель поду́мал,…	г.	что что́-то случи́лось с её флёшкой.
____ 5. Ка́тя объясни́ла Ама́нде,…	д.	что́-нибудь зна́ет об Ама́нде и Же́не?
____ 6. Светла́на Бори́совна зна́ет, что Джош пошёл…	е.	что́-то о про́шлом Мара́та Аза́товича.

8.4 Упражне́ние К. Use -то or -нибудь?

Read the following mini-dialogues, and circle the indefinite expression that best fits the context. Pay attention to the kind of sentence (e.g., question, past statement, imperative) in making your choice.

1. — [**Кто́-нибудь / Кто́-то**] звони́л, когда́ меня́ не́ было до́ма?

   — Да. Звони́л [**како́й-нибудь / како́й-то**] журнали́ст. Вот его́ телефо́н.

2. — Мы [**что́-нибудь / что́-то**] об э́том писа́теле вчера́ чита́ли.

   — А мо́жет быть, вы чита́ли о нём [**где́-нибудь / где́-то**] в Интерне́те?

3. — Серге́й Петро́вич, как хорошо́, что вы пришли́. В ва́шем кабине́те вас ждёт [**како́й-нибудь / како́й-то**] студе́нт.

4. — Вы вчера́ на ве́чере с [**ке́м-нибудь / ке́м-то**] интере́сным говори́ли?

   — Да. Одна́ де́вушка на ве́чере рабо́тала в [**како́м-нибудь / како́м-то**] журна́ле, где пи́шут о Росси́и и междунаро́дных отноше́ниях.

5. — Куда́ ты идёшь?

   — Я иду́ в магази́н.

   — Отли́чно. Купи́ мне, пожа́луйста, [**каки́е-нибудь / каки́е-то**] фру́кты.

   — Ла́дно. Каки́е фру́кты тебе́ нра́вятся?

6. — На экза́мене преподава́тель спроси́л меня́ о [**како́м-нибудь / како́м-то**] совреме́нном писа́теле, кото́рый пи́шет детекти́вы.

   — Вы смогли́ [**что́-нибудь / что́-то**] об э́том писа́теле рассказа́ть?

   — Нет.

7. — Вы [**когда́-нибудь / когда́-то**] е́здили в Калифо́рнию?

   — Да, мы там бы́ли в про́шлом году́.

8.4 Упражне́ние Л. Ситуа́ции

Review all of the episodes in this часть and create a Russian dialog to fit this situation.

1. You ask your guide if she knows anything about this monument.

   ____

2. She responds that she will gladly [with pleasure] tell you everything that she knows.

   ____

   ____

3. She notes that [*they*] built the monument in the 19th century.

   ____

4. You ask if it's okay to photograph it.

   ____

5. She says that it is allowed, but that you have little time, because it's time to go to the Historical Museum.

   ____

   ____

И́мя и фами́лия: ______________________________ Число́: ____________

8.4 Упражнение M. Чита́ем биогра́фию Михаи́ла Вру́беля

Amanda gave a very brief overview of Mikhail Vrubel's life while talking with her former students in the Tretyakov Gallery. You will now have a chance to read in greater detail about the artist.

Pre-reading:

1. The text that you will read contains a number of new words that are similar to ones in English and other European languages. Sound out the words below, and write in your guess of their English equivalents.

   International words (Nouns)

реставра́ция		эпо́ха	
иллюстра́ция		скульпту́ра	
моде́рн		декора́ции	
му́за		универсали́зм	
символи́зм		фре́ска	

   International words + Russian adjectives suffixes (-ный / -ский)

юбиле́йный		монумента́льный	
императо́рский			

2. There are other new words in the text that have some of the same roots as Russian words that you already know. Use the familiar word in the first column to help guess the meaning of the related word in the second column. Circle what you believe to be the English equivalent of the new word.

война́	<u>вое́н</u>ный	military	maritime	fearful
де́ти	<u>де́т</u>ство	adolescence	childhood	adulthood
бу́дут	<u>бу́ду</u>щий	willingness	past	future
писа́ть	ро́с<u>пись</u>	Russianness	memoir	mural
зна́ем	<u>зна</u>мени́тый	talented	famous	unknown
петь	<u>пе</u>ви́ца	concert	singing	female singer

3. Skim through the text and place a check mark next to any of the places that are mentioned.

Astrakhan	Kiev	Odessa
Berlin	Moscow	Paris
Europe	Munich	Petersburg
Switzerland	Venice	Vienna

4. Skim through the text and place a check mark next to the way it is organized.

   ___ thematically ____ cause-effect ____ chronologically ____ compare-contrast

5. Read the text using the information and vocabulary you have just learned.

Михаи́л Алекса́ндрович Вру́бель — оди́н из са́мых замеча́тельных ру́сских худо́жников конца́ XIX - нача́ла XX ве́ка. Он роди́лся в 1856 году́ в го́роде О́мске в семье́ вое́нного юри́ста. Семья́ ча́сто переезжа́ла, и поэ́тому в де́тстве Вру́бель жил не то́лько в О́мске, но и в А́страхани, Сара́тове, Оде́ссе и Петербу́рге.

Бу́дущий худо́жник учи́лся на юриди́ческом факульте́те Санкт-Петербу́ргского университе́та, кото́рый он зако́нчил в 1880 году́. В 1877–1879 он стал ходи́ть по вечера́м на ку́рсы Импера́торской Акаде́мии Худо́жеств. В 1880–1884 занима́лся рису́нком в мастерско́й П. П. Чистяко́ва и акваре́лью под руково́дством И. Е. Ре́пина.

В 1884 году́ Вру́бель уе́хал в Ки́ев, где он принима́л уча́стие в реставра́ции Кири́лловской це́ркви XII ве́ка и ро́списи Влади́мирского собо́ра. Для созда́ния ико́н Кири́лловской це́ркви худо́жник пое́хал в Ита́лию. В Вене́ции он изуча́л и копи́ровал дре́вние византи́йские фре́ски.

В 1887 году́, когда́ Вру́бель рабо́тал над фре́сками для Влади́мирского собо́ра, он стал занима́ться скульпту́рой.

В 1889 году́ худо́жник прие́хал в Москву́; здесь он познако́мился со знамени́тым мецена́том С. И. Ма́монтовым, в до́ме кото́рого жил и рабо́тал над «Де́моном сидя́щим» (1890) и иллюстра́циями к юбиле́йному изда́нию произведе́ний М. Ю. Ле́рмонтова (1891). Карти́ны худо́жника «Де́мон сидя́щий» и «Де́мон пове́рженный» (1902) откры́ли эпо́ху ру́сского моде́рна и символи́зма.

Вру́бель ча́сто быва́л в Евро́пе. 28 июля 1896 го́да в Швейца́рии он жени́лся на тала́нтливой певи́це Наде́жде Ива́новне Забе́ле. Она́ ста́ла му́зой худо́жника.

Для Вру́беля характе́рен тво́рческий универсали́зм. Он писа́л не то́лько карти́ны, но и ико́ны, фре́ски, иллюстра́ции к кни́гам и декора́ции для теа́тра, создава́л монумента́льные панно́ и скульпту́ры.

Худо́жник у́мер в 1910 году́ в Санкт-Петербу́рге по́сле до́лгой и тяжёлой душе́вной боле́зни.

6. Summarize as much of the text as you can in English. You do not need to translate every word or to look up words that you do not know. Concentrate instead on conveying the information that you do understand.

7. Re-read the text a second time, making use of this list of **незнако́мые слова́** (unfamiliar words) and their English equivalents.
    - акваре́ль = watercolor
    - переезжа́ла – from переезжа́ть = to move, change residences
    - мастерско́й – from мастерска́я = workshop, studio
    - рису́нком – from рису́нок = drawing
    - руково́дством – from руково́дство = direction
    - принима́ть уча́стие = to take part in
    - мецена́том – from мецена́т = patron
    - изда́нию – from изда́ние = an edition
    - произведе́ний – from произведе́ние = a work (piece of creative work)
    - пове́рженный = cast down; toppled
    - созда́ния – from созда́ние = creation
    - создава́л – from создава́ть = to create
    - Для Вру́беля характе́рен тво́рческий универсали́зм. = Creative universalism is characteristic for Vrubel'.
    - панно́ = panel (large painting or relief on wall or ceiling)
    - душе́вной боле́зни – from душе́вная боле́знь = mental illness

8. Did the words above help you to decipher more of the text? Write an English summary of the additional details you learned.

____
____
____
____
____
____
____
____
____
____
____

И́мя и фами́лия: ______________________ Число́: ____________

Уро́к 8: часть 3

8.5 Упражне́ние А. Где мы встре́тимся?

Re-read the episode to find the exact Russian equivalent for each English sentence below.

1. She was invited to a birthday party.

   ____

2. Where should I wait for you?

   ____

3. Watch out, you'll get sick.

   ____

4. I feel completely normal.

   ____

5. Everyone considers that "Southwest" is a good neighborhood.

   ____

6. Are you getting off [*at this stop*]?

   ____

7. Our house is behind the hotel.

   ____

8. You're asking questions like a little kid.

   ____

И́мя и фами́лия: ______________________________ Число́: ______________

8.5 Упражне́ние Б. Где мы встре́тимся? (Continued)

Fill in the blanks with words from the word bank to complete this summary of the episode. All of the words are in their correct forms. There are three extra words.

ме́жду	**не́рвничать**	**разреши́те**
пе́ред	**вопро́сов**	**ждёт**
за	**уста́ла**	**заболе́ет**
под	**выхо́дят**	**приезжа́ет**
дете́й	**роди́телей**	**студе́нтов**
	у́мер	

Ама́нда е́дет на день рожде́ния отца́ Дени́са. Дени́с отвеча́ет на эсэмэ́ску Ама́нды, что он ______________ её на ста́нции "Ю́го-за́падная" у пе́рвого ваго́на по́езда. Когда́ Ама́нда ______________, Дени́с говори́т, что она́ вы́глядит пло́хо. Ама́нда объясня́ет, что она́ ______________. Вчера́ в Третьяко́вке она́ встре́тила свои́х бы́вших ______________. Она́ договори́лась с ни́ми ве́чером пойти́ в кафе́ поу́жинать. Пото́м они́ пошли́ гуля́ть по Москве́. Дени́с удивля́ется, что они́ гуля́ли ______________ дождём, и он бои́тся, что Ама́нда ______________.

По́сле метро́ они́ е́дут две остано́вки на авто́бусе. Они́ ______________ из авто́буса и иду́т пешко́м ______________ высо́кими дома́ми. Роди́тели Дени́са живу́т ______________ гости́ницей. Ама́нда спра́шивает Дени́са, как зову́т его́ ______________. Ама́нда та́кже спра́шивает о ба́бушке и де́душке Дени́са. Она́ узнаёт, что его́ ба́бушка не прие́дет из Яросла́вля, и что его́ де́душка уже́ давно́ ______________. Ама́нда задаёт Дени́су о́чень мно́го ______________, потому́ что она́ бои́тся сде́лать что́-нибудь не так. Дени́с сове́тует ей не ______________, потому́ что там бу́дут то́лько свои́.

И́мя и фами́лия: ______________________ Число́: ____________

8.5 Упражне́ние B. Talking About Neighborhoods: Personalized Questions

Answer the following questions about where you currently live. Your answers should be in complete sentences.

1. Как называ́ется го́род, где вы живёте?

   ____

2. Каки́е в ва́шем го́роде ви́ды тра́нспорта? Есть метро́? авто́бус? трамва́й?

   ____

3. Вы живёте в це́нтре? бли́зко от це́нтра? далеко́ от це́нтра?

   ____

4. В ва́шем райо́не дома́ похо́жи друг на дру́га?

   ____

5. Все в ва́шем го́роде счита́ют, что ваш райо́н хоро́ший?

   ____

6. Когда́ ко мне приезжа́ют друзья́, они́ говоря́т: «Како́й ____________ и ____________ райо́н!» [Pick two adjectives: необы́чный, интере́сный, ску́чный, некраси́вый, отли́чный, ужа́сный ...]

И́мя и фами́лия: ________________________________ Число́: ____________

8.5 Упражне́ние Г. Transportation Phrases

Match the question in the first column with a logical answer. More than one answer is possible for some questions.

____	1. Где мы встре́тимся?	а.	Да, здесь выхо́дим.
____	2. Где вход в метро́?	б.	Иди́те нале́во и ещё раз нале́во.
____	3. Э́то на́ша остано́вка?	в.	Мы прое́дем две остано́вки.
____	4. Мы пойдём пешко́м?	г.	Нельзя́ входи́ть туда́ с таки́м рюкзако́м.
____	5. Когда́ нам вы́йти?	д.	Остано́вка ря́дом с вы́ходом из метро́.
____	6. Где наш авто́бус?	е.	Разреши́те пройти́.
____	7. Вы не выхо́дите?	ж.	Там продаю́тся биле́ты.
		з.	У пе́рвого ваго́на по́езда.
		и.	Нет, мы тут ся́дем на авто́бус.

8.5 Упражне́ние Д. Немно́го о себе́

Read each sentence below and place a check mark in the column marked **ве́рно** if it is true for you. If it is not true for you, make whatever changes are necessary so that it becomes true for you. You may need to adjust or remove the time expression or to add the negative particle **не**. Sometimes negating a sentence will call for other changes, like using the genitive case for absence.

	Ве́рно
1. Де́сять лет наза́д я жил/жила́ в друго́м го́роде.	____
2. Пять лет наза́д я учи́лся/учи́лась в девя́том кла́ссе.	____
3. Два го́да наза́д я поступи́л/поступи́ла в университе́т.	____
4. Две неде́ли наза́д я игра́л/игра́ла в баскетбо́л.	____
5. Че́рез год я око́нчу университе́т.	____
6. Че́рез четы́ре го́да я женю́сь/вы́йду за́муж.	____
7. Че́рез шесть лет я перее́ду (will move) в большо́й го́род.	____
8. Че́рез два́дцать лет у меня́ бу́дет больша́я семья́.	____

И́мя и фами́лия: ______________________________ Число́: __________

8.5 Упражне́ние Е. Animate Accusative Plurals

Read each sentence below and circle the noun that makes the sentence grammatically correct. Then fill in the blanks with **В (Э́то ве́рно)**, **Н (Э́то неве́рно)** or **М (Э́то мо́жет быть)** to indicate whether the sentence is factually correct based on what we know from the story.

1. ____ Ке́йтлин хорошо́ зна́ет [**музыка́нты / музыка́нтов**], кото́рые живу́т наверху́.
2. ____ Светла́на Бори́совна лю́бит [**студе́нты / студе́нтов**], кото́рые убира́ют свои́ ко́мнаты.
3. ____ Зо́я Степа́новна ка́ждый день слу́шает [**сове́тские пе́сни / сове́тских пе́сен**] по ра́дио.
4. ____ То́ни ча́сто смо́трит [**интере́сные спекта́кли / интере́сных спекта́клей**] с Ю́рием Никола́евичем.
5. ____ Мара́т Аза́тович о́чень лю́бит [**сосе́ди / сосе́дей**], кото́рые живу́т наверху́.
6. ____ Мони́к ча́сто спра́шивает [**ру́сские друзья́ / ру́сских друзе́й**], что на́до де́лать.
7. ____ Ке́йтлин ча́сто фотографи́рует [**интере́сные места́ / интере́сных мест**] в Каза́ни.
8. ____ Ама́нда хо́чет посмотре́ть [**изве́стные карти́ны / изве́стных карти́н**] в Третьяко́вке.
9. ____ Дени́с пока́зывает Ама́нде [**собо́ры / собо́ров**] в Кремле́.
10. ____ Оте́ц Дени́са пригласи́л [**колле́ги / колле́г**] на день рожде́ния.
11. ____ Ама́нда лю́бит [**но́вые дома́ / но́вых домо́в**] в райо́не «Ю́го-За́падная».
12. ____ Ната́лья Миха́йловна пло́хо понима́ет [**америка́нские студе́нты / америка́нских студе́нтов**], кото́рые у́чатся в Росси́и в э́том году́.
13. ____ Ри́мма Ю́рьевна о́чень лю́бит [**свои́ ученики́ / свои́х ученико́в**], да́же когда́ они́ пло́хо пи́шут сочине́ния.

И́мя и фами́лия: ______________________________ Число́: ______________

8.6 Упражне́ние А. У Гу́риных

а. Review the text for this episode and fill in the blanks with the name of the character who did the following actions. Remember to put all of the names in the nominative case as they will be the subjects of the sentences.

1. ______________________ знако́мит Ама́нду[1] с роди́телями.
2. ______________________ мно́го слы́шала о роди́телях[2] Дени́са[3] от То́ни.
3. ______________________ поздравля́ет отца́[4] Дени́са с днём[5] рожде́ния[6].
4. ______________________ да́рит И́горю Влади́мировичу[7] небольшо́й пода́рок.
5. ______________________ хо́чет познако́мить Ама́нду с Ли́зой[8].
6. ______________________ была́ в друго́й ко́мнате[9] и разгова́ривала с На́стей[10].
7. ______________________ счита́ет, что Дени́с и Ли́за похо́жи друг на дру́га[11].
8. ______________________ спра́шивает, бо́йтся Ама́нда соба́к[12] и́ли нет.
9. ______________________ не хо́чет споко́йно лежа́ть в ма́ленькой ко́мнате.
10. ______________________ услы́шал но́вые голоса́[13] и захоте́л познако́миться с Ама́ндой.

б. Review the sentences above and identify the case of each noun that is followed by a number. Then write the dictionary form of the word in the second column.

Како́й паде́ж (Which Case)?	**Слова́рная фо́рма**
1.	
2.	
3.	
4.	
5.	
6.	
7.	give и́мя-о́тчество
8.	
9.	
10.	
11.	
12.	
13.	

8.6 Упражне́ние Б. О ком?

The following sentences describe the degree to which characters from our story are known, both to us and to one another. Decide how much you/others know about each character and then write in the appropriate word (**мно́го**, **ма́ло**, **ничего́ не**) before the verb. Then fill in the correct prepositional-case pronoun after the preposition **о**. The first one has been done for you as an example.

0. Э́то Ке́йтлин.

   Мы ___мно́го___ зна́ем о ___ней___.

   We know a lot about her.

1. Вот фотогра́фия Ама́нды.

   Мы ______________ зна́ем о ______________.

2. Вот фотогра́фия Дие́го. Он — двою́родный брат То́ни.

   Мы______________ зна́ем о ______________.

3. Вот фотогра́фия Анто́на и Ни́ны. Они́ — друзья́ Джо́ша.

   Мы______________ зна́ем о ______________.

4. — Зо́я Степа́новна, То́ни Мора́лес ______________ зна́ет о ______________?

   — По-мо́ему, он ______________ зна́ет обо ______________.

5. — Ни́на, Джош ______________ зна́ет о ______________?

И́мя и фами́лия: ______________________________ Число́: ____________

8.6 Упражне́ние В. У Ри́ммы Ю́рьевны в кла́ссе

а. Rimma Yur'evna's classroom is typical for Russia in that her **ученики́** all sit in rows. Use the seating chart below to complete the sentences from the perspective of Rimma Yur'evna. Some blanks will need a preposition (e.g., **пе́ред**, **за**, **ме́жду**, **ря́дом с**, **спра́ва от**, **сле́ва от**), while others will need a person's name in the appropriate case.

На́дя	Ми́тя	Со́ня	Ве́ра	То́ля
Та́ня	Га́ля	Фе́дя	Ми́ша	Ди́ма
Сла́ва	Пе́тя	Лю́ба	Све́та	Ко́стя
Ксю́ша	Зи́на	Ко́ля	Воло́дя	Ма́ша
А́ня	Во́ва	Серёжа	Ле́на	Ми́ла

Здесь стои́т Ри́мма Ю́рьевна.

1. Ве́ра сиди́т ______________ Со́ней и То́лей.
2. ______________ Ми́шей сиди́т Све́та.
3. ______________ Зи́ной сиди́т Пе́тя.
4. ______________ Ко́лей сиди́т Воло́дя.
5. Спра́ва от ______________ сиди́т Ми́тя.
6. Сле́ва от ______________ сиди́т Га́ля.
7. Ме́жду ______________ и ______________ сиди́т Во́ва.
8. За ______________ сиди́т Ко́стя.
9. Пе́ред ______________ сиди́т Ко́ля.
10. В углу́ за Ди́мой сиди́т ______________.

б. Review the names of the **ученики́** in Rimma Yur'evna's class and write an **м** (**ма́льчик**) next to all of the boys' names, and a **д** (**де́вочка**) next to all of the girls' names. If you are unsure of the child's gender, use a site like kakzovut.ru to see the full name.

в. Count up the number of boys and girls and write the numbers in this sentence:

- В кла́ссе Ри́ммы Ю́рьевны у́чатся ________ ма́льчиков и ________ де́вочек.

г. Каки́е имена́ вы не зна́ли? [*if you had to look up any*]

- Я ра́ньше не зна́л(а), что ______________________ — ма́льчик(и).
- Я ра́ньше не зна́л(а), что ______________________ — де́вочка/де́вочки.

Имя и фами́лия: ________________________________ Число́: ______________

8.7 Упражне́ние А. С днём рожде́ния

Fill in the blanks with past-tense forms of verbs from the word bank to complete this summary of this episode. Be sure to make the past-tense forms agree with the subject of the given sentence. There are three extra verbs.

жени́ться	**поступи́ть**	**зако́нчить**
перее́хать	**вы́расти**	**узна́ть**
вы́йти	**роди́ться**	**познако́миться**
	учи́ться	

Ама́нда ____________ мно́го интере́сного о Наде́жде Влади́мировне и её бра́те И́горе Влади́мировиче. Ока́зывается (it turns out), что они́ ____________ и ____________ в Яросла́вле. По́сле шко́лы И́горь Влади́мирович ____________ в Моско́вский госуда́рственный университе́т на хими́ческий факульте́т. Когда́ он ____________ на пя́том ку́рсе, он ____________ на Ле́не, ма́тери Дени́са и Ли́зы. А Наде́жда Влади́мировна ____________ за́муж, когда́ ей бы́ло 19 лет.

8.7 Упражне́ние Б. С днём рожде́ния: о культу́ре

Nadezhda Vladimirovna addresses a number of cultural topics when talking with Amanda. Summarize her comments on these following points in English.

1. Yaroslavl':

   ____

2. Length of college/university study in the Soviet era:

   ____

3. Age/circumstances of first marriage in the Soviet era:

   ____

4. Age of marriage in Russia today:

   ____

5. Moscow's Church of Christ the Savior:

   ____

Имя и фами́лия: ______________________ Число́: __________

8.7 Упражне́ние В. Где нахо́дится э́тот го́род?

You are talking with a Russian friend about places in the United States, but s/he does not know where some of them are located. Write complete sentences using the points on the compass (e.g., north, southwest) to help him/her get a sense of U.S. geography. One has been done for you as an example.

0. Про́во (штат Ю́та)

   Го́род Про́во нахо́дится на за́паде США. ______________________

1. Нью-Хе́мпшир

   ____

2. Сава́нна (штат Джо́рджия)

   ____

3. Сан-Анто́нио (штат Теха́с)

   ____

4. Миннесо́та

   ____

5. Сакраме́нто

   ____

6. Ри́чмонд (штат Вирги́ния)

   ____

7. Пу́лман (штат Вашингто́н)

   ____

И́мя и фами́лия: ____ Число́: ______________

8.7 Упражне́ние Г. Ма́ленькие слова́

Match each Russian word to its English equivalent.

____	1. что́бы	а.	then; at that time
____	2. ведь	б.	earlier; previously
____	3. тогда́	в.	Bless you! *Gesundheit*!
____	4. ра́ньше	г.	although
____	5. неда́вно	д.	in order to
____	6. вообще́	е.	in general
____	7. почти́	ж.	early
____	8. по́зже	з.	can it be that
____	9. неуже́ли	и.	after all; you know
____	10. хотя́	к.	later
____	11. ра́но	л.	recently
____	12. Будь здоро́в!	м.	almost

8.7 Упражне́ние Д. О себе́

Imagine that you are starting a new academic program in Russia and that the placement questionnaire has a number of questions about your background. Answer the questions in complete Russian sentences using as much of the vocabulary from Уро́к 8 as you can. Remember that for questions asking when something happened, you can use either exact dates or relative dates with **че́рез/наза́д**. For questions asking where something happened, you should feel free to give extra information about the location.

1. В како́м году́ вы родили́сь? [*Write out the year in words.*]

   ____

2. Где вы родили́сь?

   ____

3. А где нахо́дится э́тот го́род?

   ____

4. Вы вы́росли в э́том же (that very same) го́роде?

   ____

5. У вас была́ кака́я-нибудь рабо́та? А где вы рабо́тали? Когда́ э́то бы́ло?

   ____

   ____

   ____

6. В како́й университе́т вы поступи́ли / хоти́те поступи́ть?

   ____

7. Что вы изуча́ете / бу́дете изуча́ть?

   ____

8. Когда́ вы зако́нчили / зако́нчите университе́т?

   ____

9. Вы уже́ жена́ты / за́мужем?

   ____

10. Где вы хоти́те жить по́сле университе́та?

    ____

И́мя и фами́лия: ______________________ Число́: __________

Уро́к 9: часть 1

9.1 Упражне́ние А. Что у тебя́ боли́т? Но́вые слова́

Anatolii is going to the doctor because he has aches and pains all over. Complete the sentences below with the corresponding numbered body parts in the image.

1. У Анато́лия боли́т ______________.
2. У Анато́лия боли́т ______________.
3. У Анато́лия боли́т ______________.
4. У Анато́лия боли́т ______________.
5. У Анато́лия боли́т ______________.
6. У Анато́лия боли́т ______________.
7. У Анато́лия боли́т ______________.
8. У Анато́лия боля́т ______________.

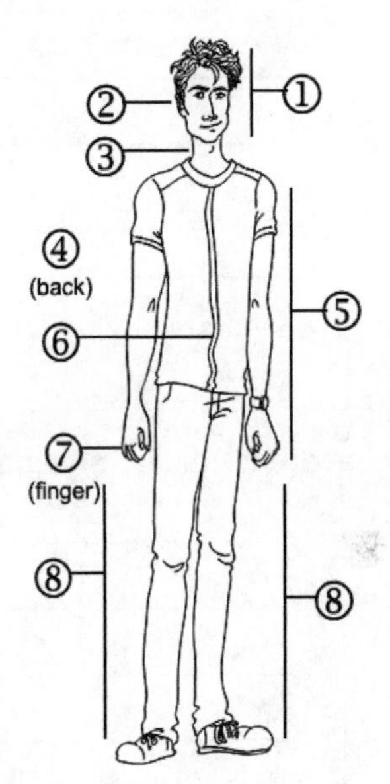

9.1 Упражне́ние Б. Что у тебя́ боли́т?

As you re-read the episode, answer the following comprehension questions in English.

1. What does Amanda do when she gets back from Moscow?

____

____

____

2. What surprises Monique when she comes back to the room after class?

____

____

____

И́мя и фами́лия: ______________________________ Число́: ______________

3. What three things does Amanda say about how she feels?

   а. ______________________________

   ____

   ____

   б. ______________________________

   ____

   ____

   в. ______________________________

   ____

   ____

4. What does Katya bring when she comes to Amanda's room?

   ____

5. What advice does Katya have for Amanda?

   а. ______________________________

   ____

   ____

   б. ______________________________

   ____

   ____

6. Under what circumstances would Katya want to call in a doctor?

   ____

   ____

   ____

7. What concern of Amanda's causes Katya to say **Не волну́йся**!

   ____

   ____

   ____

8. What does Amanda learn about how Russians take a person's temperature?

   ____

   ____

   ____

9.1 Упражне́ние B. Working on Vocabulary

a. Find the exact Russian equivalents for the following English phrases in the text for this episode. In the third column, write the dictionary form of the Russian word you write in the blank.

English phrase	Russian equivalent	слова́рная фо́рма
Amanda *returned* from Moscow.	Ама́нда ________ ____ Москвы́.	
She immediately *went* to bed.	Она́ сра́зу ________ спать.	
Monique *came* home from a lecture.	Мони́к ________ домо́й ____ ле́кции.	
You still haven't *gotten up*?	Ты ещё не ________?	
I have *gotten sick*.	Я ________.	
How do you *feel*?	Как ты ________ ________?	
Don't *worry*!	Не ________!	
I will *meet* him.	Я ________ его́.	

б. Make a list of six health-related words or phrases from this episode that you think would be helpful if you were to visit Russia. Provide their English equivalents as well.

	по-ру́сски	по-англи́йски
1.		
2.		
3.		
4.		
5.		
6.		

И́мя и фами́лия: ______________________________ Число́: ____________

9.1 Упражне́ние Г. Кака́я у них температу́ра?

Норма́льная температу́ра челове́ка — 36,6 (три́дцать шесть и шесть) гра́дусов. Просмотри́те на схе́му с гра́дусником, прослу́шайте информа́цию и запиши́те температу́ру. Пото́м реши́те, как лу́чше описа́ть (to describe) температу́ру у ка́ждого челове́ка.

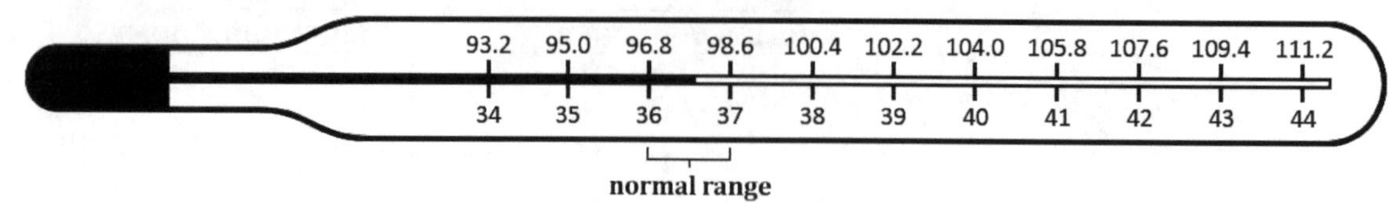

У кого́?	Температу́ра (ци́фрами – in digits)	Температу́ра почти́ норма́льная.	Температу́ра есть, но не высо́кая.	Э́то о́чень высо́кая температу́ра.
У Са́ши	________	_____	_____	_____
У Ли́зы	________	_____	_____	_____
У Та́ни	________	_____	_____	_____
У Со́ни	________	_____	_____	_____
У Ма́рка	________	_____	_____	_____

И́мя и фами́лия: ______________________________ Число́: ____________

9.1 Упражне́ние Д. Что на́до де́лать?

Place a check mark next to all of the actions in the list below that you think people should do when they are sick. Look up the meaning of any unknown words in the online **слова́рь**.

Когда́ лю́ди боле́ют, им...

1. ____ на́до мно́го спать.
2. ____ на́до лежа́ть в крова́ти.
3. ____ на́до ча́сто встава́ть с крова́ти.
4. ____ не на́до встава́ть с крова́ти.
5. ____ на́до выходи́ть из до́ма.
6. ____ на́до пить горя́чее молоко́.
7. ____ на́до пить чай с лимо́ном.
8. ____ на́до поме́рить температу́ру.
9. ____ не на́до ме́рить температу́ру.
10. ____ не на́до вызыва́ть врача́.
11. ____ на́до вы́звать врача́.
12. ____ на́до ходи́ть на заня́тия.
13. ____ не на́до ходи́ть на рабо́ту.
14. ____ на́до принима́ть лека́рство.

9.1 Упражне́ние Е. В Каза́ни эпиде́мия гри́ппа

The flu has come to Kazan' and has hit Caitlin's conversation class hard. Before class starts, Caitlin is checking to see how her classmates are doing and who will be coming to class today. Fill in the blanks in the following conversations with present-tense forms of **чу́вствовать себя́** and future-tense forms of **прийти́**.

1. Ке́йтлин: Си́нди, как ты ____________ ____________?

   Си́нди: Сего́дня я ____________ ____________ лу́чше, но на заня́тия я не ____________.

2. Ке́йтлин: Грег, как вы с Пи́тером ____________ ____________?

   Грег: Мы с Пи́тером всё ещё ____________ ____________ пло́хо. Мы сего́дня не ____________. А ты? А Джан и Ма́рша?

   Ке́йтлин: У меня́ всё в поря́дке, но не зна́ю, как они́ ____________ ____________. Сейча́с их спрошу́.

3. Ке́йтлин: Джан, вы с Ма́ршей ____________ на заня́тия?

   Джан: Нет, мы всё ещё боле́ем. Я слы́шала, что Бо́бби ____________ ____________ хорошо́, и что он ____________ на разгово́рную пра́ктику. Та́к что (so) ты там бу́дешь не одна́.

И́мя и фами́лия: ______________________________ Число́: ____________

9.1 Упражне́ние Ж. The Verb Pairs встава́ть/встать and ложи́ться/лечь

Complete each sentence with the appropriate form of the verb provided. Pay close attention to context to determine whether you need a present-tense or a past-tense form.

1. — Мара́т Аза́тович и Ри́мма Ю́рьевна обы́чно ____________ [get up] ра́но, часо́в в 6 утра́. А вчера́ они́ ____________ [got up] в де́вять часо́в утра́.

   — Почему́ так по́здно?

   — Мара́т Аза́тович и Ри́мма Ю́рьевна ____________ [went to bed] спать ра́но, часо́в в де́сять. Но в двена́дцать сосе́ди ста́ли игра́ть и шуме́ли (made noise) всю ночь.

2. Мони́к удиви́лась, что Ама́нда вчера́ не ____________ [get up] у́тром, как обы́чно. Она́ ду́мала, что Ама́нда, наве́рное, ____________ [went to bed] спать по́здно и хоте́ла чуть до́льше (a bit longer) поспа́ть.

3. В сентябре́ и октябре́ То́ни ____________ [would go to bed] спать в оди́ннадцать и ____________ [would get up] в семь. В ноябре́ он познако́мился с Ю́рием Никола́евичем и стал ходи́ть в теа́тр ве́чером. По́сле э́того он ____________ [would go to bed] спать по́зже и ____________ [would get up] по́зже. Вчера́ был о́чень дли́нный спекта́кль. То́ни пришёл домо́й в двена́дцать и ____________ [went to bed] спать то́лько в час. У́тром он ____________ [got up] в во́семь, потому́ что не хоте́л опозда́ть на заня́тия.

4. Fill in the blanks below to reflect your own experience.

   а. В э́том семе́стре я обы́чно ____________ спать в ____________.

   б. А вчера́ я ____________ спать в ____________.

   в. У́тром я обы́чно ____________ в ____________.

   г. А сего́дня у́тром я ____________ в ____________.

И́мя и фами́лия: ____ Число́: ____________

9.1 Упражне́ние 3. По́сле командиро́вки

Complete the following paragraph about Marat Azatovich by filling in the blanks with the Russian equivalents of the verbs provided in English.

В конце́ февраля́ Мара́т Аза́тович был в командиро́вке в Уфе́. Когда́ он

______________ [returned] домо́й, он ______________ ______________ [felt] пло́хо. Ри́мма Ю́рьевна

посове́товала ему́ ______________ [to lie down] спать. А он снача́ла хоте́л отве́тить на име́йлы и

поэ́тому сел за компью́тер. Когда́ Ри́мма Ю́рьевна ______________ [brought] ему́ чай, он уже́

______________ [was sleeping] за компью́тером. Ри́мма Ю́рьевна его́ разбуди́ла (woke up). У него́ была́

температу́ра. Мара́т Аза́тович сказа́ла Ри́мме Ю́рьевне, что он ______________ [had gotten sick]. Он

______________ [got up], пошёл в спа́льню, и ______________ [laid down] в крова́ть.

Имя и фами́лия: ______________________________ Число́: ____________

9.1 Упражне́ние И. Заче́м (For What Purpose)?

Match each action on the left with an appropriate clause on the right. Note that all of the clauses expressing the purpose of the action begin with the word **что́бы**.

____	1. Дени́с написа́л эсэмэ́ску дру́гу,…	а.	что́бы посмотре́ть незнако́мое сло́во.
____	2. Серьёзные студе́нты мно́го занима́ются,…	б.	что́бы записа́ть конспе́кт ле́кции.
____	3. Музыка́нт принёс гита́ру,…	в.	что́бы пригласи́ть его́ на обе́д.
____	4. Учи́тель откры́л слова́рь,…	г.	что́бы пригото́вить борщ.
____	5. Тури́сты купи́ли биле́ты,…	д.	что́бы не опозда́ть на ле́кцию.
____	6. Зо́я Степа́новна купи́ла свёклу,…	е.	что́бы побли́же с ни́ми познако́миться.
____	7. Ке́йтлин сде́лала всё,…	ж.	что́бы посмотре́ть вы́ставку.
____	8. Джош купи́л цветы́,…	з.	что́бы получи́ть хоро́шую отме́тку.
____	9. Студе́нты откры́ли тетра́ди,…	и.	что́бы сыгра́ть нам не́сколько пе́сен.
____	10. Абду́ловы пригласи́ли сосе́дей на обе́д,…	к.	что́бы поздра́вить Светла́ну Бори́совну с днём рожде́ния.

Имя и фами́лия: ______________________ Число́: __________

9.1 Упражне́ние К. Personalized

Below are introductory clauses that suggest a goal that one might have. Complete the sentences by providing two actions that one might take to achieve that goal. One answer has been provided as a model. Note that you should use an infinitive after the modal word **на́до**.

0. Что́бы стать хоро́шим актёром, на́до...
   а. говори́ть краси́во и чётко (clearly).
   б. ча́сто ходи́ть в теа́тр.
1. Что́бы лу́чше написа́ть контро́льную, на́до...
   а. ______________________
   б. ______________________
2. Что́бы пое́хать в Росси́ю, на́до...
   а. ______________________
   б. ______________________
3. Что́бы око́нчить университе́т, на́до...
   а. ______________________
   б. ______________________

9.2 Упражне́ние А. На сле́дующий день

Read the episode and answer the following comprehension questions in English. Your answers should be as complete as you can make them.

1. How does Amanda feel the next day?

   ____

2. What is Amanda planning to do when Katya comes to see her?

   ____

3. What is Katya's reaction?

   ____

   ____

4. Who will go to meet Tony?

   ____

5. What news does Katya have to share?

   ____

6. What event will take place in the winter?

   ____

7. What does Oleg say about Tony's looks?

   ____

8. Why is Tony confused by Amanda's message?

   ____

   ____

Имя и фами́лия: ______________________________ Число́: ______________

9.2 Упражне́ние Б. На сле́дующий день: но́вые слова́ и выраже́ния

Find the exact Russian equivalents for the following English phrases in the text for this episode.

Как э́то в те́ксте?

1. Thanks for the medicine. ______________________________
2. I feel better now. ______________________________
3. You mustn't go anywhere. ______________________________
4. Lie down this minute! ______________________________
5. We'll get married in the winter. ______________________________
6. I'll come, if I can. ______________________________
7. It's a different Oleg. ______________________________
8. Katya has her own Oleg. ______________________________

9.2 Упражне́ние В. Повторя́ем фо́рмы «мой»

a. Read the following sentences and write the case, gender and/or number of each underlined noun phrase in the blank provided. One has been done for you as a model.

0. Моя́ фами́лия — Кали́нина. nom. fem. sing.
1. Моё и́мя — О́льга. ____________
2. Расскажу́ вам о моéй семьé. ____________
3. Живу́ с мои́м му́жем. ____________
4. Моегó сы́на зову́т Са́ша, а мою́ дочь зову́т Та́ня. ____________ ____________
5. Мои́м де́тям о́чень нра́вится класси́ческая му́зыка. ____________
6. Они́ у́чатся ря́дом с моéй рабóтой. ____________
7. Я занима́юсь му́зыкой. Расскажу́ вам о моём пе́рвом конце́рте. ____________
8. Я о́чень не́рвничала, потому́ что все мои́ друзья́ бы́ли в за́ле. ____________
9. Игра́ла я пло́хо, но моему́ отцу́ о́чень понра́вился э́тот конце́рт. ____________
10. Моéй ма́тери, к сожале́нию, на конце́рте не́ было. Она́ боле́ла. ____________
11. Хоти́те, я познако́млю вас с мои́ми детьми́? ____________
12. И́ли могу́ да́льше расска́зывать о мои́х конце́ртах. ____________

И́мя и фами́лия: ______________________________ Число́: ____________

б. Using the information from the sentences in part a, complete the following table of the **падежи́** (case forms) of the possessive pronoun **мой** (my, mine). Pay careful attention to the gender of the nouns in the sentences as you work. Some forms in the table have already been filled in for you.

	Masculine мужско́й род	**Feminine** же́нский род	**Neuter** сре́дний род	**Plural** мно́жественное число́
Nominative имени́тельный				
Genitive роди́тельный			моего́	
Dative да́тельный			моему́	
Accusative вини́тельный	inanimate		моё	inanimate
	animate			animate
Prepositional предло́жный				
Instrumental твори́тельный				

As you are working to learn all of these possessive pronouns, remember that the forms of **твой** mirror the forms of **мой**, much as the forms of **наш** and **ваш** mirror one another. The possessive forms **его́**, **её** and **их** are fixed forms that do not change based on the noun they are modifying.

И́мя и фами́лия: ______________________________ Число́: ______________

9.2 Упражне́ние Г. Свой

Кузнецо́вы и Ме́льниковы — сосе́ди. Э́ти се́мьи о́чень хорошо́ зна́ют друг дру́га и ча́сто быва́ют друг у дру́га в гостя́х.

Read the sentences below and place a check mark next to the name of the person to whom the underlined word refers. Remember that **свой** is the possessive that points back to the subject of the sentence.

1.	Андре́й расска́зывает Серёже о свое́й <u>жене́</u>.	____ А́ня	____ Га́ля
2.	Серёжа расска́зывает Андре́ю о его́ <u>жене́</u>.	____ А́ня	____ Га́ля
3.	Ле́на хорошо́ зна́ет Ни́ну и её <u>отца́</u>.	____ Серёжа	____ Андре́й
4.	Ми́ша понима́ет Ди́му и своего́ <u>отца́</u>.	____ Серёжа	____ Андре́й
5.	Га́ля помога́ет А́не и свое́й <u>до́чери</u>.	____ Ни́на	____ Ле́на
6.	Андре́й расска́зывает о его́ <u>до́чери</u>.	____ Ни́на	____ Ле́на
7.	А́ня даёт Га́ле и свое́й <u>до́чери</u> кусо́к то́рта.	____ Ни́на	____ Ле́на
8.	А́ня даёт Га́ле и её <u>сы́ну</u> кусо́к то́рта.	____ Ми́ша	____ Ди́ма
9.	Ни́на ра́да, что она́ похо́жа на свою́ <u>ма́му</u>.	____ А́ня	____ Га́ля
10.	Га́ля и её <u>муж</u> приглаша́ют сосе́дей на чай.	____ Серёжа	____ Андре́й
11.	Ле́на и Ми́ша ви́дят Ни́ну и Ди́му и их <u>роди́телей</u>.	____ Андре́й и А́ня	____ Серёжа и Га́ля

12. Ни́на и Ди́ма лю́бят Ле́ну и Ми́шу и свои́х родителей. ____ Андре́й и А́ня ____ Серёжа и Га́ля
13. Серёжа и Га́ля пока́зывают Андре́ю и А́не фотогра́фии свои́х дете́й. ____ Ле́на и Ми́ша ____ Ни́на и Ди́ма
14. А́ня и Андре́й пока́зывают Серёже и Га́ле фотогра́фии свои́х дете́й. ____ Ле́на и Ми́ша ____ Ни́на и Ди́ма

9.2 Упражне́ние Д. Свой in Sentences with у + Genitive

а. As you have seen in this episode, you can use the possessive pronoun **свой** in sentences with an **у** + genitive construction to emphasize that you are the sole owner of an object (i.e., that you do not share ownership with anyone).

Read each sentence below and fill in the correct ending for each noun. If no additional ending is required, then write in ø. Remember that sentences with **есть** will require the nominative case of the object that is owned, while sentences with **нет** will require the genitive case for the item that is absent.

1. У меня́ есть своя́ маши́н____.
2. У меня́ нет свое́й маши́н____.
3. У меня́ есть свой велосипе́д____.
4. У меня́ нет своего́ велосипе́д____.
5. У меня́ есть своя́ кварти́р____.
6. У меня́ нет свое́й кварти́р____.
7. У меня́ есть свой дом____.
8. У меня́ нет своего́ дом____.
9. У меня́ есть свой компью́тер____.
10. У меня́ нет своего́ компью́тер____.

б. Now go back and re-read the previous sentences. Circle the number of any sentence that is true for you.

И́мя и фами́лия: ______________________________ Число́: ____________

9.2 Упражне́ние Е. Повторя́ем фо́рмы «вы» и «ваш»

а. The following sentences come from an interview between a journalist and a singer. Read the journalist's questions and identify whether the underlined word is a form of the personal pronoun **вы** (you) or the possessive adjective **ваш** (your, yours). Then write the case of the underlined word in the blank. The first one has been done for you as an example. The Russian case names are provided below

	вы or ваш?	паде́ж?
0. Как вас зову́т?	вы	вин.
1. Ещё раз, как ва́ше о́тчество?	______	______
2. О вас сейча́с пи́шут во всех журна́лах.	______	______
3. Расскажи́те, пожа́луйста, о ва́шем пе́рвом конце́рте.	______	______
4. Хоти́те рассказа́ть не́сколько слов о ва́шей семье́.	______	______
5. Как зову́т ва́ших дете́й?	______	______
6. Ва́ши де́ти ча́сто хо́дят на ва́ши конце́рты?	______	______
7. Они́ лю́бят вас слу́шать?	______	______
8. Кака́я му́зыка нра́вится ва́шим де́тям?	______	______
9. Я не бу́ду спра́шивать о сканда́ле с ва́шим ме́неджером.	______	______
10. В ма́рте вас не́ было на га́ла-конце́рте в Нью-Йо́рке.	______	______
11. Что вам помога́ет, когда́ быва́ют тру́дные ситуа́ции?	______	______
12. Спаси́бо за интервью. Я зна́ю, что на́ши чита́тели бу́дут ра́ды познако́миться с ва́ми...	______	______
13. ... и с ва́шими но́выми пе́снями.	______	______

б. Using the forms and case information in the sentences above, complete the following table with the appropriate forms of **вы** (you).

имени́тельный (Nominative)	
роди́тельный (Genitive)	
да́тельный (Dative)	
вини́тельный (Accusative)	
твори́тельный (Instrumental)	
предло́жный (Prepositional)	

И́мя и фами́лия: ______________________________ Число́: ____________

9.2 Упражне́ние Ж. Ма́ленькие слова́

Match each Russian word to its English equivalent.

____	1. сра́зу	а.	under
____	2. бою́сь	б.	must; have to
____	3. под	в.	simply
____	4. на́до	г.	immediately
____	5. до́лжен	д.	in order
____	6. про́сто	е.	by the way
____	7. в поря́дке	ж.	I'm afraid
____	8. ху́же	з.	it is necessary
____	9. кста́ти	и.	than
____	10. чем	к.	worse

9.2 Упражне́ние З. Ситуа́ции

Imagine that you are studying abroad in Russia and did not go to class today because you are not feeling well. Express the following ideas to your host mother using phrases and vocabulary from the episodes in this часть.

1. Tell your host mother that you feel bad.

   ____

2. Tell her that you have a headache and that your stomach hurts.

   ____

   ____

3. Explain that you have gotten sick because you ate a *pirozhok* with meat yesterday.

   ____

4. Explain to her that she does not need to call a doctor.

   ____

5. Tell her that you will feel better tomorrow and that now you want to stay [i.e., lie] in bed.

   ____

Имя и фами́лия: ____________________ Число́: __________

Уро́к 9: часть 2

9.3 Упражне́ние А. Как То́ни заблуди́лся

Read the episode and answer the questions below in English.

1. What do Tony and Oleg do on their first day in Petersburg?

   ____

2. What do they do on their second day?

   ____

3. What are two details that you learn about their destination on their second day?

   ____

   ____

4. What are Tony's and Oleg's plans for the evening?

   ____

   ____

5. What is a *marshrutka*?

   ____

6. How is Tony planning to get from Tsarskoe selo to downtown Petersburg?

   ____

   ____

7. In Диало́г 3 Tony gets directions from the Sennaya metro station to the Mariinsky Theater from a passerby. Read the directions he is given and then draw the route he is advised to take. The Sennaya station (located in the upper right) is marked with the stylized metro M symbol. The Mariinsky (located on the far left) is marked with an asterisk.

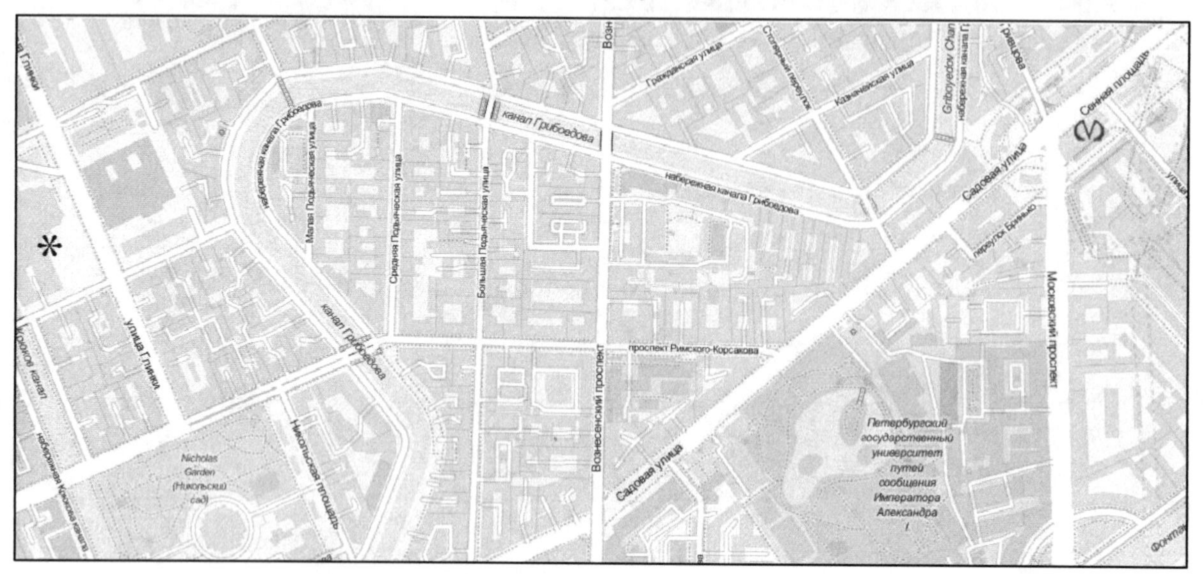

8. What do we learn about Ilya Grigor'ian?

____

9. What is the final signal that people should take their seats in the theater?

____

10. When will Tony get something to eat?

____

И́мя и фами́лия: ______________________________ Число́: ____________

9.3 Упражне́ние Б. То́ни заблуди́лся

Match the beginning of each sentence with a logical conclusion to recap the main points of the episode. Note that the events in the left-hand column reflect the order in which they appear in the text.

____	1.	У́тром То́ни и Оле́г…	а.	а То́ни е́дет в теа́тр на о́перу.
____	2.	По́сле экску́рсии по Екатери́нинскому дворцу́…	б.	что на́до идти́ пря́мо по Садо́вой у́лице.
____	3.	Дворе́ц о́чень понра́вился То́ни,…	в.	колле́га Ю́рия Никола́евича.
____	4.	Оле́г сейча́с е́дет к тёте,…	г.	вы́шел из метро́.
____	5.	Оле́г объясня́ет То́ни,…	д.	и они́ сра́зу вошли́ в теа́тр.
____	6.	Снача́ла То́ни на́до сесть на маршру́тку,…	е.	как дое́хать до го́рода.
____	7.	То́ни прие́хал на ста́нцию метро́ «Сенна́я» и…	ж.	пое́хали в Ца́рское село́.
____	8.	Он стои́т на Сенно́й пло́щади,…	з.	То́ни опозда́ет на о́перу.
____	9.	Одна́ же́нщина объясня́ет ему́,…	и.	они́ вы́шли в парк.
____	10.	Пото́м на́до поверну́ть напра́во на проспе́кт Ри́мского-Ко́рсакова,…	к.	а пото́м он до́лжен сесть на метро́.
____	11.	Пе́ред теа́тром ждёт Илья́ Григоря́н,…	л.	а пото́м поверну́ть напра́во на у́лицу Гли́нки.
____	12.	Он бои́тся, что…	м.	но не понима́ет, куда́ на́до идти́.
____	13.	То́ни пришёл до тре́тьего звонка́,…	н.	хотя́ там бы́ло мно́го наро́ду.

И́мя и фами́лия: ______________________________ Число́: ______________

9.3 Упражне́ние В. Ситуа́ции

Using phrases from this episode as a model, what would you say in the following situations if you were a student studying abroad in Saint Petersburg?

1. Tell a Russian friend that you walked around the city center all day.

   ____

2. Ask her if she liked the palace that you visited yesterday.

   ____

3. Tell her that you are going to visit a friend.

   ____

4. Tell her that you will return to Petersburg late in the evening.

   ____

5. Tell her that you do not know how to get to the city center.

   ____

6. Ask her where you should get off [*of a bus*]?

   ____

7. Ask her how you will find the theater.

   ____

8. Stop a passerby and ask whether he can tell you where the Mariinsky Theater is.

   ____

9. Ask him how long it will take to go [*to the theater*].

   ____

10. Ask him if it is possible to take a bus.

    ____

11. Tell a Russian friend with whom you have just met up, "Let's get on our way."

    ____

12. Tell him/her that you will get yourself something [*to eat*] during intermission.

    ____

И́мя и фами́лия: ______________________________ Число́: ____________

9.3 Упражне́ние Г. Куда́ идти́?

You will listen to four sets of directions, each starting from the asterisk in the lower corner of the map. Fill in each blank with the name of the place at which you arrive by following the directions.

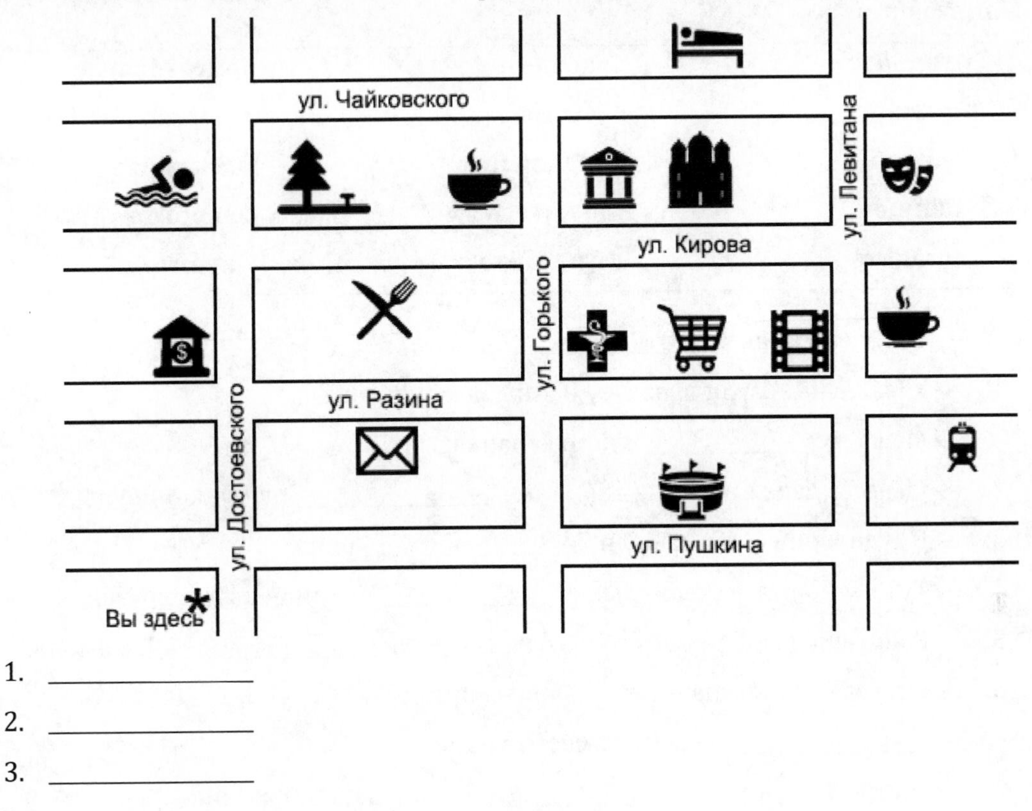

1. ____________
2. ____________
3. ____________
4. ____________

9.3 Упражне́ние Д. Giving Directions

Using the same map above, place an asterisk on a new starting location and write down instructions to get to the café on Ulitsa Kirova. Your directions should include at least two turns. Use the audio directions in the previous exercise as a model.

____

____

____

И́мя и фами́лия: ______________________________ Число́: ______________

9.3 Упражне́ние E. Working on Imperatives (Commands)

Fill in the blanks with the most appropriate imperative provided in the word bank. Circle the number before any comment that you might overhear in a classroom. The first one has been done for you as an example.

откро́йте	**забу́дьте**	**пригото́вь**
поката́йся	**купи́**	**пригласи́**
возьми́	**опа́здывайте**	**расскажи́те**
напиши́	**ложи́тесь**	**закро́йте**
вста́ньте	**отдыха́йте**	**купи́те**

(0.) — Тут о́чень жа́рко. Откро́йте о́кна.

1. — У Ма́ши нет карандаша́. А у Ва́ни два карандаша́.
   — Ма́ша, ______________ у него́ каранда́ш.
2. — Мы весь день ничего́ не е́ли. Та́ня, ______________ нам что́-нибудь!
3. — В аудито́рии о́чень хо́лодно. ______________ о́кна.
4. — Тут интере́сные сувени́ры. ______________ что́-нибудь для друзе́й.
5. — Роди́тели давно́ от тебя́ ничего́ не слы́шали. ______________ им име́йл.
6. — У сосе́дки по ко́мнате нет пла́нов на пра́здник.
   — ______________ её пойти́ вме́сте с на́ми.
7. — За́втра 8-е ма́рта. Не ______________ купи́ть цветы́ хозя́йке.
8. — Вы должны́ быть на уро́ке во́время. Бо́льше не ______________.
9. — Экску́рсия начина́ется через 20 мину́т, а вы всё ещё лежи́те в крова́ти.
   ______________ сейча́с же.
10. — Хочу́ за́втра пригото́вить суп. ______________ о́вощи сего́дня, когда́ ты бу́дешь в магази́не.
11. — Я о вас практи́чески ничего́ не зна́ю. ______________ немно́го о себе́, пожа́луйста.
12. — Мы зако́нчили всю рабо́ту на сего́дня.
    — Тогда́ ______________.
13. — Уже́ 2 часа́ но́чи. Мы уста́ли.
    — Тогда́ ______________ спать.
14. — Не зна́ю, что де́лать. Пойти́ на като́к и́ли посмотре́ть фильм?
    — ______________ на конька́х. Э́то поле́знее.

9.3 Упражне́ние Ж. More Work on Imperatives

Provide at least four imperatives that you could give in the following situations. In forming your imperative pay careful attention to whether you are speaking to one person or more than one person. Use the Russian that you know rather than looking up new vocabulary. The first answer has been provided as an example.

1. You are volunteering in an after-school program for Russian-speaking children and are helping them with their homework. What do you want them to do and not do?

   Прочита́йте расска́з. ____________

   ____________ ____________

2. You are very sick and cannot get out of bed. What do you ask your roommate to do for you?

   ____________ ____________

   ____________ ____________

3. Your roommate has the flu. What do you tell him/her to do and not do?

   ____________ ____________

   ____________ ____________

4. You are throwing a party, and your guests have just arrived. What do you ask them to do and not do?

   ____________ ____________

   ____________ ____________

Имя и фами́лия: ______________________________ Число́: ____________

9.4 Упражне́ние А. То́ни в го́роде на Неве́

Read the episode and answer the following questions in English.

1. Which city has the nickname «го́род на Неве́»? What is the Neva?

   ____

2. What did Tony do the evening before he wrote this email? Did he enjoy himself?

   ____

   ____

3. What advice did Yurii Nikolaevich give Tony before his trip to Petersburg?

   ____

4. Ilya Grigor'ian quotes a famous passage from Pushkin's novel in verse where the narrator introduces the reader to the character Onegin. Based on the quotation, indicate whether the following three statements are true or false by marking them **В** (**Э́то ве́рно**) or **Н** (**Э́то неве́рно**).

   а. ____ Onegin was born outside Petersburg, at Tsarskoe selo.

   б. ____ The narrator suggests that the reader may have been born or used to shine (i.e., had an exception life/career) in Petersburg.

   в. ____ The narrator used to live in Petersburg, but has had to give up living in the north.

5. What did Tony see earlier in the day?

   ____

   ____

6. What is he planning to see tomorrow?

   ____

   ____

7. What does Tony have to say about the Hermitage in his presentation about Petersburg?

   ____

   ____

8. What is the Russian name of the square on which the Russian Museum is located?

   ____

9. What two kinds of performances does the Mariinsky Theater stage?

   ____

10. What comment does Tony make about the Catherine Palace?

   ____

9.4 Упражне́ние Б. Petersburg Places

а. Match the word in the first column with the appropriate word in the second column to create a list of famous sites in Petersburg. Practice saying the names aloud as you match the words.

____	1. Екатери́нинский	а.	вса́дник
____	2. Не́вский	б.	кре́пость
____	3. Ме́дный	в.	теа́тр
____	4. Петропа́вловская	г.	дворе́ц
____	5. Марии́нский	д.	иску́сств
____	6. Ру́сский	е.	село́
____	7. Пло́щадь	ж.	проспе́кт
____	8. Ца́рское	з.	музе́й

б. Using the combinations that you formed above, write in the name of the famous site that best matches each of these descriptive phrases.

1. ______________________ — гла́вная у́лица Петербу́рга.
2. ______________________ — ме́сто, где мо́жно посмотре́ть карти́ны ру́сских худо́жников.
3. ______________________ — небольшо́й го́род, кото́рый нахо́дится недалеко́ от Петербу́рга.
4. ______________________ — па́мятник царю́ Петру́ Пе́рвому.
5. ______________________ — ме́сто, где мо́жно послу́шать о́перу и́ли посмотре́ть бале́т.
6. ______________________ — ме́сто, где стои́т па́мятник Пу́шкину.

Ймя и фами́лия: ______________________________ Число́: ____________

9.4 Упражне́ние В. Энтузиа́сты и па́мятники

In the fictional city of Aleksandrovka different groups of citizens are working to build new monuments to famous Russians. Read about the interests of each group and then decide to whom they are likely to erect a monument. Complete each sentence with a name from the word bank, keeping in mind that you will need to use the dative case. If you are unfamiliar with the famous Russians listed, look them up online. There are two extra names.

Ю́рий Гага́рин	**Достое́вский**	**Солжени́цын**
А́лла Пугачёва	**Куту́зов**	**Рахма́нинов**
Че́хов	**Менделе́ев**	

1. Одна́ гру́ппа о́чень интересу́ется класси́ческой му́зыкой и хо́чет поста́вить па́мятник ____________________.
2. Втора́я гру́ппа изуча́ет исто́рию войны́ ме́жду Росси́ей и Фра́нцией 1812 го́да и хо́чет поста́вить па́мятник ____________________.
3. Оди́н литерату́рный кружо́к (club) обсужда́ет рома́ны «Преступле́ние и наказа́ние» и «Бра́тья Карама́зовы» и хо́чет поста́вить па́мятник ____________________.
4. Гру́ппа астроно́мов и люби́тели ко́смоса хотя́т поста́вить па́мятник ____________________.
5. Ассоциа́ция росси́йских хи́миков хо́чет поста́вить па́мятник ____________________.
6. Одна́ гру́ппа о́чень интересу́ется исто́рией ру́сского теа́тра. Она́ хо́чет поста́вить па́мятник ____________________.

9.4 Упражне́ние Г. Имена́

During his trip to Petersburg, Tony meets a friend of Yurii Nikolaevich named Ilya Grigor'ian. Yurii Nikolaevich actually has a lot of friends in Petersburg from his time at the theater institute. Read the following text about Yurii and his friends Ilya and Andrei, paying close attention to the grammatical forms that their names take. For each occurrence, identify the case being used by writing it above the name. Then use that information to complete the declension table that follows the text.

У Ю́рия о́чень интере́сные друзья́ в Пи́тере. Он познако́мился с Ильёй и Андре́ем, когда́ они́ все вме́сте учи́лись в театра́льном институ́те. У Андре́я большо́й тала́нт к литерату́ре, и он пи́шет интере́сные пье́сы и сцена́рии. У Ильи́ есть спосо́бности, но он не стал профессиона́льным актёром. Андре́й и Илья́ помогли́ Ю́рию поста́вить его́ пе́рвый спекта́кль. Ю́рий рассказа́л То́ни мно́го смешны́х исто́рий об Илье́, Андре́е и институ́те. Когда́ То́ни был в Петербу́рге, он услы́шал нема́ло расска́зов о Ю́рии. Ока́зывается, что друзья́ Ю́рия ста́рше, чем То́ни ду́мал. Андре́ю — 39 лет, а Илье́ — 41 год. То́ни о́чень рад, что он познако́мился с Ю́рием. То́ни ско́ро уе́дет домо́й в Теха́с, но он всегда́ бу́дет по́мнить Ю́рия, Илью́, и Андре́я.

Nominative имени́тельный	Андре́й	Ю́рий	Илья́
Genitive роди́тельный			
Dative да́тельный			
Accusative вини́тельный			
Prepositional предло́жный			
Instrumental твори́тельный			

Имя и фами́лия: ______________________________ Число́: ______________

Уро́к 9: часть 3

9.5 Упражне́ние А. Са́мое глубо́кое о́зеро в ми́ре

Answer the following questions in English based on what you learned from this episode.

1. At the beginning of this episode there is a paragraph that gives background details on Josh's excursion. Summarize that information in English using the graphic below.

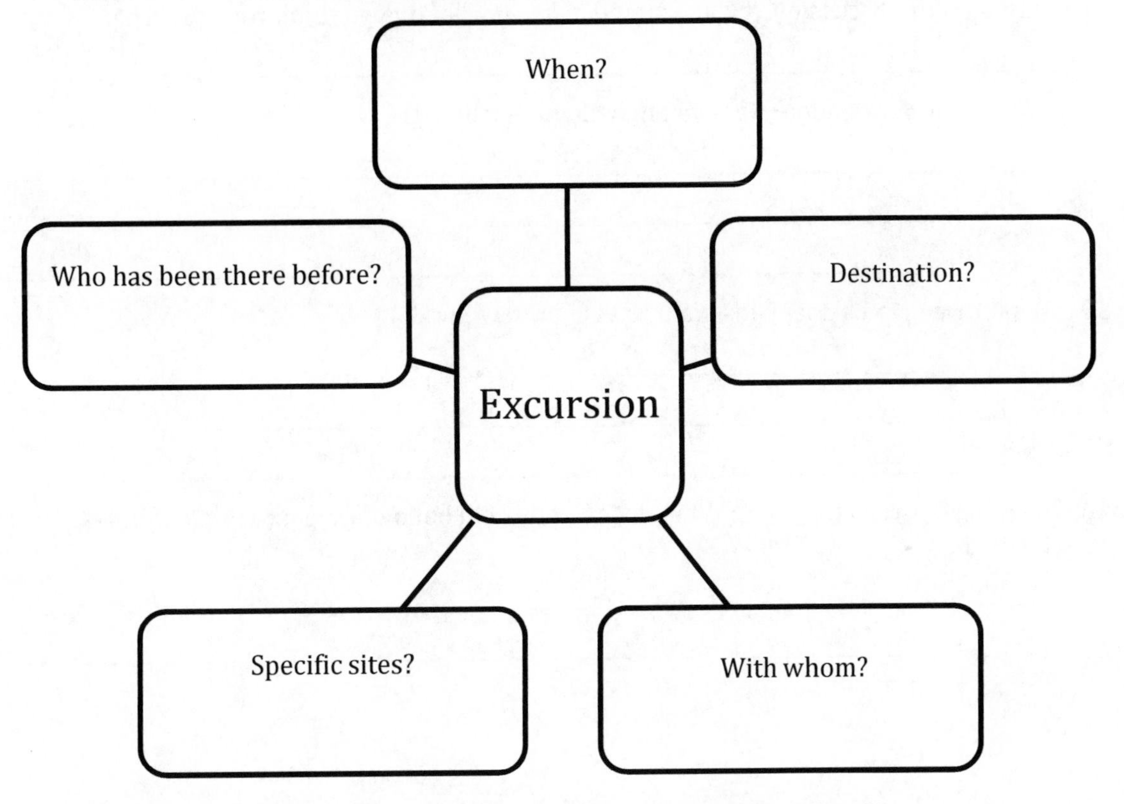

2. What two reasons does Natalya Mikhailovna give for being in Irkutsk?

   а. ______________________________

   б. ______________________________

3. What are three things that we learn about Nina in this episode?

   а. ______________________________

   б. ______________________________

   в. ______________________________

4. What are three things that you can do and see at the Baikal Museum?

   а. ______________________________

   б. ______________________________

   в. ______________________________

5. What other tourist destination in Irkutsk has Josh visited?

____

6. What are three details that Natalya Mikhailovna mentions about lunch?

   а. ____

   б. ____

   в. ____

7. Based on the discussion, if you ordered *pelmeni* what do you think you would get?

____

8. What do we learn about Natalya Mikhailovna's trip to the United States?

   а. ____

   б. ____

   в. ____

9. What three places does Nina want to visit in New York?

   а. ____

   б. ____

   в. ____

10. <u>Reading Between the Lines</u>: What does Natalya Mikhailovna seem to think of Nina? What in the text gives you that idea?

____

____

9.5 Упражне́ние Б. Са́мое глубо́кое о́зеро в ми́ре. Дета́ли

a. Review this episode and find the Russian equivalents for the English sentences below. Note that all of the sentences relate to time expressions and verbs of motion.

1. Everyone is going to see Lake Baikal.

 ____

2. You probably have already been to [Lake] Baikal.

 ____

3. What else have you seen this year?

 ____

4. We went to the Decembrist Museum.

 ____

5. The bus is leaving in two minutes.

 ____

6. From here it is about a 20-minute drive.

 ____

7. I was [there] once.

 ____

8. I went to a conference.

 ____

9. We went to New York as well but only for two days.

 ____

10. When are you coming?

 ____

б. Fill in the blanks using the information you collected in the sentences above.

1. When talking about having made one or more round-trips to a place, you use the verbs:

 ____________ and ____________.

2. The Russian words **вре́мя** and **раз** can both be translated into English as "time" but they are not interchangeable. Write the appropriate word next to the synonyms below.

 a. time / occasion / event - ____________

 б. time / period / hours / minutes - ____________

9.5 Упражне́ние В. Са́мое глубо́кое о́зеро в ми́ре

Summarize the events from this episode in Russian by writing captions for the pictures below. Write at least two sentences for each picture, keeping your comments primarily in the third person and the present tense.

И́мя и фами́лия: ______________________________ Число́: __________

9.5 Упражне́ние Г. Reviewing Social Etiquette

Review the section of this episode where Josh introduces Nina to Natalya Mikhailovna. His introduction has four steps: 1) he addresses the more senior person, 2) he uses a verb for acquainting the two, 3) he names the more junior person, and 4) he gives a few words about the more junior person. The two then exchange pleasantries.

Using Josh's introduction as a model, write a brief dialog in which Tony runs into Amanda at the Hermitage and needs to introduce her to Ilya Grigor'ian.

То́ни: ______________________________

____

Ама́нда: ______________________________

Илья́ Григоря́н: ______________________________

9.5 Упражне́ние Д. Мо́жно посмотре́ть живы́х рыб

Note that when Nina speaks about seeing fish at the aquarium, she use the accusative form **живы́х рыб**. In the plural, the accusative animate will be the same as the genitive plural for all genders.

Complete the sentences below indicating what people or animals one might look at, catch a glimpse of, or run into in the following locations. Complete the sentences with the plural forms of the words from the word bank. One has been done for you.

Go back and review the forms of the genitive plural in the Немно́го о языке́ of episode 8.1 if you are unsure of the forms.

~~краси́вая не́рпа~~	**больша́я соба́ка**	**поли́тик**
ру́сский тури́ст	**изве́стный актёр**	**чёрная ко́шка**
жира́ф	**люби́мый учи́тель**	**гори́лла**
африка́нский тигр	**бы́вший студе́нт**	**хоро́ший врач**

0. В аква́риуме Джош уви́дел краси́вых нерп ______________________________.
1. В музе́е Ама́нда встре́тила ______________________________.
2. В Нью-Йо́рке на у́лице иногда́ мо́жно уви́деть ______________________________.
3. В Вашингто́не иногда́ мо́жно уви́деть ______________________________.
4. В зоопа́рке мо́жно посмотре́ть ______________, ______________, и ______________.
5. Роди́тели Дени́са лю́бят ______________________________.
6. В шко́ле мы поздра́вили ______________________________.

9.5 Упражнéние Е. Time Expressions

a. People are talking about trips they have taken and how long they spent at the destinations. Make complete Russian sentences out of the elements between the slashes. All of your verbs should be in the past tense.

1. В / янвáрь / Кéйтлин и её родúтели / éздить / на / Гавáйи / на / недéля / .

   ____

2. В / март / родúтели / Джош / éздить / в / Иркýтск / на / 10 / день / .

   ____

3. В / áвгуст / родúтели / Амáнда / éздить / в / Аризóна / на / 4 / день / .

   ____

4. В / декáбрь / Абдýловы / éздить / в / Тýрция / на / 2 / недéля / .

   ____

5. В / феврáль / родúтели / Денúс / éздить / в / Сóчи / на / 5 / день / .

   ____

6. Look back through the sentences above and decide who had the best and worst trip. Give your conclusions in English and explain your reasoning.

   ____

   ____

   ____

И́мя и фами́лия: ______________________________ Число́: ______________

9.5 Упражне́ние Ж. Reviewing Hard- and Soft-Stem Adjective Endings

Read the paragraph below and draw an arrow from each adjective to the noun that it modifies. Circle any adjective with a soft-stem ending and indicate the case of the phrase by writing its initial over the noun.

И = имени́тельный (nominative)	В = вини́тельный (accusative)
Р = роди́тельный (genitive)	П = предло́жный (prepositional)
Д = да́тельный (dative)	Т = твори́тельный (instrumental)

В удо́бном общежи́тии Европе́йского университе́та, Ама́нда живёт с Мони́к Дюбуа́ в после́дней ко́мнате на четвёртом этаже́. В нача́ле го́да, как мы по́мним, Ама́нда купи́ла хоро́ший электри́ческий ча́йник. В декабре́ она́ ду́мала о нового́днем пода́рке, кото́рый она́ хоте́ла сде́лать Же́не. А тепе́рь уже́ май. В после́днее вре́мя она́ ста́ла ду́мать о сувени́рах, кото́рые она́ ку́пит для друзе́й и роди́телей. В одно́м магази́не она́ ви́дела краси́вую си́нюю ма́йку с на́дписью «Я ♥ Москву́». В друго́м отде́ле магази́на она́ смотре́ла компа́кт-ди́ски. Был хоро́ший диск с после́дними пе́снями рок-гру́ппы Сплин и ещё оди́н интере́сный диск церко́вной му́зыки с назва́нием «Вече́рний звон». На обло́жке (cover) краси́вая фотогра́фия дре́внего собо́ра.

If you were Amanda, which of the three items mentioned would you buy as a souvenir, and why?

____

____

9.5 Упражне́ние 3. После́дний

Fill in the blanks with the correct form of the soft-stem adjective **после́дний**. Then choose a place from the phrase bank to indicate where you are most likely to hear or say each sentence.

		Где?
1.	Скажи́те, пожа́луйста, у вас есть ________________ рома́н в э́той се́рии?	____
2.	В ________________ ча́сти расска́за гла́вный геро́й Ива́н Ильи́ч умира́ет.	____
3.	Сейча́с е́ду. Я в ________________ ваго́не.	____
4.	В 21 час вы смо́жете посмотре́ть все ________________ но́вости.	____
5.	Сего́дня ве́чером посмотри́те ________________ се́рию истори́ческого сериа́ла «Моско́вская са́га».	____
6.	Геро́й ________________ рома́на Достое́вского — Алёша Карама́зов.	____
7.	По́сле рекла́мы мы вам расска́жем о ________________ новостя́х.	____
8.	________________ по́езд в час но́чи.	____
9.	Сего́дня на́ша те́ма — ________________ пье́са Че́хова «Вишнёвый сад».	____
10.	Хоте́л бы купи́ть но́вый моби́льник. Где у вас ________________ моде́ли?	____

а.	**в кни́жном магази́не**	**б.**	**по телеви́зору**
в.	**на заня́тиях по литерату́ре**	**г.**	**в магази́не те́хники**
д.	**в кафе́**	**е.**	**в метро́**

9.5 Упражне́ние И. Ма́ленькие слова́

Match each Russian word to its English equivalent.

____ 1.	пе́ред	а.	unfortunately
____ 2.	для	б.	with pleasure
____ 3.	о́зеро	в.	in front of; before
____ 4.	к сожале́нию	г.	to here
____ 5.	туда́	д.	almost
____ 6.	рад	е.	I guess; I suppose
____ 7.	че́стно	ж.	from here
____ 8.	почти́	з.	to there
____ 9.	с удово́льствием	и.	honestly
____ 10.	сюда́	к.	lake
____ 11.	отсю́да	л.	genuine; real
____ 12.	настоя́щий	м.	certain; sure
____ 13.	пожа́луй	н.	for
____ 14.	уве́рен	о.	glad

9.5 Упражне́ние К. Ситуа́ции

During his visit to the Decembrists' Museum, Josh learned that the Decembrists were a group of Russian nobles who were sent into exile in Siberia in the wake of a rebellion in December of 1825. Josh visited the museum during a historical reenactment and thought it would be fun to interview one of the reenactors to learn about the historical figure he was representing. Help Josh put together ten questions that he can ask during this interview. You may want to review biographical words from Уро́к 8 before starting this exercise.

1. ______________________________
2. ______________________________
3. ______________________________
4. ______________________________
5. ______________________________
6. ______________________________
7. ______________________________
8. ______________________________
9. ______________________________
10. ______________________________

И́мя и фами́лия: ______________________________ Число́: ______________

9.5 Упражне́ние Л. Фа́кты. Собы́тия. Лю́ди.

Before Josh went to the Decembrists' Museum, his instructor gave him this excerpt from the **Кругосве́т** encyclopedia (krugosvet.ru) to help him understand what Irkutsk was like at the start of the 19th century, when the Decembrists came to the region.

a. Summarizing the Text. Read though the text and use the right-hand column to write an English summary of what you understand. Do not look up any words the first time you work though the text. Try to figure out unfamilar words from context, look for international words (you can usually guess the meaning after sounding out the word) and use your background knowledge about the Decembrists to make educated guesses. You should consider doing this section in pencil as you will return to fill in missing details later in the exercise.

В пе́рвой полови́не 19 в. Ирку́тск занима́л по величине́ пе́рвое ме́сто среди́ городо́в Сиби́ри и служи́л администрати́вным и культу́рным це́нтром огро́мной террито́рии от Енисе́я до Ти́хого океа́на. Го́род был ба́зой для торго́вли и свя́зей с Кита́ем, а с 1830-х — золотопромы́шленным це́нтром Восто́чной Сиби́ри.	
В 1825 в Ирку́тске прожива́ло св.14 тыс. челове́к, насчи́тывалось 56 ка́менных и 1673 деревя́нных до́ма, 3 учё́бных заведе́ния, 9 больни́ц и прию́тов и 15 церкве́й. В губе́рнии рабо́тали 42 фа́брики и заво́да.	
С 1803 он явля́лся столи́цей Сиби́рского, а с 1822 — Восто́чно-Сиби́рского генера́л-губерна́торства. В го́роде бы́ли откры́ты типогра́фия (1805), пе́рвая сиби́рская гимна́зия, уе́здное и прихо́дское учи́лища (1805), больни́чный дом (1807), воспита́тельный дом для сиро́т (1807), пе́рвое же́нское учё́бно-реме́сленное заведе́ние, (1838), пе́рвая ча́стная публи́чная библиоте́ка (1839), Институ́т благоро́дных деви́ц Восто́чной Сиби́ри (1845), теа́тр (1849).	

Пе́рвая кни́га в Ирку́тске была́ и́здана в 1807, а во второ́й полови́не ве́ка в го́роде разверну́лась бу́рная изда́тельская де́ятельность. Появи́лись газе́ты «Ирку́тские губе́рнские ве́домости» (1857), «Аму́р» (1860), «Сиби́рский ве́стник» (1864), «Сиби́рь» (1873), «Восто́чное обозре́ние» (1888). С ирку́тскими газе́тами свя́заны имена́ изве́стных публици́стов и обще́ственных де́ятелей А.П. Ща́пова, М.В. Заго́скина, В.И. Ва́гина, Н.М. Я́дринцева, М.В. Буташе́вича-Петраше́вского, М.И. Шестуно́ва, М.А. Баку́нина, Ф.Н. Льво́ва.	
В 1851 число́ жи́телей возросло́ до почти́ 17 тыс. Ирку́тск называ́ли в э́то вре́мя «столи́цей Сиби́ри».	
Ирку́тск служи́л одни́м из це́нтров полити́ческой ссы́лки. ... С 1830-х на поселе́нии близ Ирку́тска и в са́мом го́роде прожива́ли декабри́сты. Дома́ С.Г. Волко́нского и С.П. Трубецко́го превращены́ в дома́-музе́и. Н.А. Пано́в, П.А. Муха́нов, И.В. По́джио, А.З. Муравьёв, А.П. Юшне́вский, В.А. Беча́снов и жена́ декабри́ста Е.И. Трубецка́я у́мерли на ирку́тской земле́. В конце́ 1850-х в Ирку́тске бы́ли посе́лены ссы́льные петраше́вцы; в го́роде до после́дних свои́х дней прожива́л исто́рик А.П. Ща́пов; в нём жи́ли со́сланные по́льские повста́нцы 1863, революционе́ры-наро́дники.	

б. <u>Working on Vocabulary</u>. In this section, you will try out several different techniques to infer the meanings of unknown words.

Guessing Word Meaning in Context

Below you will see words in the forms they are used in the text followed by their dictionary forms in parentheses. Go back and look at the context in which these words appear, and try to determine the meaning from the set of choices provided.

1. Ти́хого океа́на (Ти́хий океа́н)
   а. Atlantic Ocean
   б. Arctic Ocean
   в. Pacific Ocean
2. для торго́вли (торго́вля)
   а. manufacturing
   б. trade
   в. military defense
3. Use context in this bilingual explanation to determine the English equivalents of the Russian words in bold. Write the English word above the Russian original.

   A **типогра́фия** is a place where a printing press and related services

   like book binding are located. The people working there receive

   orders from an **изда́тельство** to produce a book or a periodical.

   The people who write opinion and discussion pieces for **газе́ты** are

   known as **публици́сты**. All of this kind of work together can be

   called **изда́тельская де́ятельность**.

Guessing Derived Words

4. If you know that the verb **сосла́ть** means "to exile," can you guess the meaning of these related words?

   ссы́лка = ________________

   ссы́льный = ________________ (adjective related to the noun ссы́лка)

   со́сланные = ________________ (verbal adjective)

In Russian if you know the root meaning of a word, you can often guess the meaning of words that are derived from it. Try using this technique to get the details of this line:

- **56 ка́менных и 1673 деревя́нных до́ма, 3 учёбных заведе́ния**

5. ка́мень = a stone — ка́мен + ный = ________________
6. де́рево = a tree — дерев + я́н + ный = ________________
7. учёба = education, studies — учёб + ный = ________________
   учёбник = textbook

Breaking up compound words

8. The first word in the phrase **золотопромы́шленным це́нтром** is a compound noun made up of noun **зо́лото** (gold) + the adjective **промы́шленный** (industrial). What kinds of activities does this term suggest were taking place in the Irkutsk region starting in the 1830s?

   ____

в. Now that you have these additional vocabulary words, go back and re-read the passage. Can you add any details to your summary? Did the few words you learned make a difference in your understanding? Did they help you guess other words in the immediate context?

Úмя и фами́лия: ______________________________ Числó: ______________

9.6 Упражнéние А. Кéйтлин сдаёт экзáмен

Read the episode and complete these comprehension questions in English.

1. In what subject is Caitlin taking an exam? How is the exam conducted?

   ____

2. What question does Caitlin have to answer?

   ____

3. How did Caitlin feel at the beginning of the year in Russia?

   ____

4. What did Rimma Yur'evna ask Caitlin to do?

   ____

5. What did Caitlin do when she got to the farmer's market?

   ____

6. What mistake did she make?

   ____

7. How did that mistake help her?

   ____

8. What grade does Caitlin get on her exam?

   ____

9.6 Упражне́ние Б. Зако́нчите предложе́ния

Match the phrases on the left with those on the right to make sentences that accurately reflect the content of this episode.

___	1. Ке́йтлин сего́дня сдаёт…	а.	две́сти пятьдеся́т гра́ммов смета́ны.
___	2. В нача́ле экза́мена Ми́ла про́сит Ке́йтлин…	б.	две́сти пятьдеся́т килогра́ммов смета́ны.
___	3. Ке́йтлин должна́ рассказа́ть о ситуа́ции…	в.	у́стный экза́мен по разгово́рной пра́ктике.
___	4. В нача́ле го́да Ке́йтлин…	г.	кото́рая продава́ла смета́ну.
___	5. Ри́мма Ю́рьевна попроси́ла Ке́йтлин…	д.	кото́рая с ней произошла́ в Росси́и.
___	6. Ке́йтлин спроси́ла Ри́мму Ю́рьевну,…	е.	и получи́ла пятёрку.
___	7. На ры́нке Ке́йтлин нашла́ же́нщину,…	ж.	пойти́ на ры́нок и купи́ть смета́ну.
___	8. Ке́йтлин снача́ла попроси́ла…	з.	взять биле́т.
___	9. Продавщи́ца поняла́, что Ке́йтлин хо́чет…	и.	о́чень боя́лась де́лать оши́бки.
___	10. Ке́йтлин отли́чно рассказа́ла свою́ исто́рию…	к.	ско́лько смета́ны на́до купи́ть.

9.6 Упражне́ние В. По́сле экза́мена

When Caitlin arrives home that evening, Rimma Yur'evna wants to know how her exam went. Fill in the missing words from their conversation using words from the word bank. The words in the bank are in their dictionary forms, so you may need to change them to fit the grammatical context. There are two extra words.

сдать	**преподава́тель**	**помо́чь**
продавщи́ца	**оши́бка**	**смея́ться**
попроси́ть	**год**	**спроси́ть**
исто́рия	**получи́ть**	**биле́т**

Ри́мма Ю́рьевна: — Ке́йтлин, ты ______________ экза́мен по разгово́рной пра́ктике?

Ке́йтлин: — Да, сдала́. ______________ пятёрку.

Ри́мма Ю́рьевна: — Молоде́ц! А како́й у тебя́ был ______________?

Ке́йтлин: — Мне на́до бы́ло рассказа́ть о како́й-нибудь интере́сной ситуа́ции, кото́рая со мно́й случи́лась в э́том ______________.

Ри́мма Ю́рьевна: — И о чём ты рассказа́ла? Наве́рно о пое́здке домо́й в Ога́йо и мете́ли?

Ке́йтлин: — Нет. Я рассказа́ла ______________ , когда́ я сде́лала ______________ на ры́нке. По́мните? В октябре́ вы ______________ меня́ пойти́ на ры́нок и купи́ть смета́ну. На ры́нке я попроси́ла ____________ дать мне две́сти пятьдеся́т килогра́ммов смета́ны.

Ри́мма Ю́рьевна: — Коне́чно, по́мню. Как до́лго мы ______________ над э́той оши́бкой.

Ке́йтлин: — Но э́та оши́бка сего́дня ______________ мне получи́ть пятёрку.

🎧 9.6 Упражне́ние Г. Джош расска́зывает об экску́рсии

Like Caitlin, Josh also had a final oral exam, where he told a story about going to Lake Baikal. Listen to his story and complete the blanks in the text below.

С удово́льствием вам ________________ об экску́рсии на ________________ Байка́л. Я ________________ ра́но в суббо́ту и ________________ в сквер Ки́рова в 9 часо́в. Там меня́ ________________ Ни́на и Ната́лья Миха́йловна, администра́тор ________________ програ́ммы. Я о́чень удиви́лся (was surprised), когда́ я уви́дел её ________________ ________________. Я не знал, что она́ ________________ в Ирку́тск. На о́зеро мы ________________ час, и по ________________ я познако́мил ________________ ________________ с Ни́ной. А ещё по доро́ге Ни́на расска́зывала о не́рпах, ________________ живу́т в о́зере. Я не знал э́то ________________ и ________________ её, что тако́е нерп. Она́ ________________, потому́ что я сде́лал ________________. Я узна́л, что живо́тное называ́ется не нерп, а ________________, и что на́до было спроси́ть, не что́ это, а ________________ э́то.

Музей Байка́ла мне о́чень ________________: в аква́риуме бы́ло мно́го ________________ рыб и живо́тных. Пото́м, когда́ мы ________________, Ната́лья Миха́йловна расска́зывала о свое́й пое́здке в Вашингто́н. Она́ ________________ туда́ не́сколько лет ________________. И Нина, коне́чно, ________________ меня́ ещё раз рассказа́ть о Нью-Йо́рке.

Мне ка́жется, что Ни́на не ________________ понра́вилась ________________ ________________.

9.6 Упражне́ние Д. Повторе́ние: -ава-ть Verbs

You will recall that verbs whose infinitives have the sequence **-ава-ть** lose the **ва** when they are conjugated in the present tense. Complete the sentences below with the appropriate present tense forms of the verbs provided.

встава́ть	**дава́ть**	**продава́ть**
	сдава́ть	

1. — Мои́ сосе́ди по кварти́ре __________ о́чень ра́но. Ка́ждый день оди́н из них __________ в пять, а друго́й в шесть. Я их у́тром обы́чно не ви́жу, потому́ что я __________ в де́сять.
   — Как э́то мо́жет быть, что ты __________ в 10! У тебя́ заня́тия начина́ются в 9.
2. Мы сейча́с __________ свою́ кварти́ру, но к сожале́нию её никто́ не хо́чет купи́ть.
3. В росси́йских университе́тах студе́нты __________ экза́мены в январе́ и в ию́не.
4. Роди́тели __________ мне де́ньги на уче́бники.
5. Мой би́знес рабо́тает так: в конце́ уче́бного го́да студе́нты __________ ста́рые уче́бники. Я их покупа́ю и __________ их други́м.

9.6 Упражне́ние Е. Об экза́менах, отме́тках и оши́бках

Place a check mark before all of the sentences that are true for you or with which you agree. Be sure you understand all of the words in the sentence before making your decision.

____ 1. Я получа́ю одни́ пятёрки.

____ 2. Я обы́чно получа́ю пятёрки и четвёрки.

____ 3. Я ре́дко получа́ю пятёрки.

____ 4. Я не люблю́ получа́ть тро́йки.

____ 5. Я никогда́ не получа́ю дво́йки.

____ 6. У нас в Аме́рике студе́нты ча́сто сдаю́т у́стные экза́мены.

____ 7. Я ре́дко смею́сь, когда́ я де́лаю оши́бку.

____ 8. Лю́ди иногда́ смею́тся надо мно́й, когда́ я говорю́ по-ру́сски.

____ 9. Я о́чень бою́сь де́лать оши́бки, когда́ я говорю́ по-ру́сски.

____ 10. Я не бою́сь де́лать оши́бки.

____ 11. Не на́до смея́ться над людьми́, кото́рые говоря́т с акце́нтом.

____ 12. Мне ка́жется, что легко́ сдать у́стный экза́мен.

9.6 Упражнéние Ж. Мáленькие слова́

Match each Russian word with its English equivalent.

____	1. бы́стро	а.	frightening
____	2. друго́й	б.	oral
____	3. бою́сь	в.	to here
____	4. у́стный	г.	wonderfully
____	5. туда́	д.	a few
____	6. сюда́	е.	later, then
____	7. ско́лько	ж.	further
____	8. стра́шно	з.	quickly
____	9. не́сколько	и.	another
____	10. пото́м	к.	to there
____	11. да́льше	л.	I am afraid
____	12. замеча́тельно	м.	how much

9.6 Упражнéние З. Ситуа́ции

Review the episode and indicate what you would say in the following situations.

1. Ask your friend how much cheese you need to buy.

   ____

2. At the farmer's market ask the salesperson for a kilo of potatoes.

   ____

3. At the farmer's market ask for two hundred grams of butter.

   ____

4. Ask your friend if she passed her exam.

   ____

5. When you learn that your friend got an A, congratulate her.

   ____

Имя и фами́лия: ____________________ Число́: __________

9.6 Упражне́ние И. Сочине́ние

Imagine that you are about to go to Saint Petersburg for a month-long study abroad program. You will be staying with a host family that lives on **Моско́вский проспе́кт**. Write an email to a Russian friend describing your trip. Mention when you are coming and where you are staying. Mention some of the places you want to visit (Tony's descriptions of his visit to Saint Petersburg should help you). You should also ask your friend some questions about the weather in June so that you know what to pack and what kinds of outdoor activities you can do.

9.6 Упражнение К. Фа́кты. Собы́тия. Лю́ди.

Caitlin notes that Americans have a different system of measurements. What are the rough American equivalents of these metric units? Check online if you are uncertain.

Разме́ры (Measurements)

	в америка́нской систе́ме		**в америка́нской систе́ме**
грамм ≈		килогра́мм ≈	
метр ≈		киломе́тр ≈	
литр ≈			

Source Information

9.3 Упражне́ние А. Как То́ни заблуди́лся

Map is licensed under Open Database License from OpenStreetMap. Modifications by Hadiya Hazel. Last accessed 2/16/16. http://www.openstreetmap.org/#map=16/59.9250/30.3054&layers=Q

9.3 Упражне́ние Г. Куда́ идти́?

1. "Swimmer" by Freepik is licensed under a Flatiron Basic License. Last accessed 2/16/16. http://www.flaticon.com/free-icon/swimmer_47743
2. "Bank bulding" by Freepik is licensed under a Flatiron Basic License. Last accessed 2/16/16. http://www.flaticon.com/free-icon/bank-building_30837
3. "Public Park" by Freepik is licensed under a Flatiron Basic License. Last accessed 2/16/16. http://www.flaticon.com/free-icon/public-park_69918
4. "Hot coffee rounded cup on a plate…" by Freepik is licensed under a Flatiron Basic License. Last accessed 2/16/16. http://www.flaticon.com/free-icon/hot-coffee-rounded-cup-on-a-plate-from-side-view_37908
5. "Fork and knife in cross" by Freepik is licensed under a Flatiron Basic License. Last accessed 2/16/16. http://www.flaticon.com/free-icon/fork-and-knife-in-cross_45552
6. "Closed Mail Envelope" by Pavel Kozlov in licensed under CC BY 3.0. Last accessed 2/16/16. http://www.flaticon.com/free-icon/closed-mail-envelope_70148
7. "Sleeping Bed Silhouette" by Scott de Jonge is licensed under CC BY 3.0. Last accessed 2/16/16. http://www.flaticon.com/free-icon/sleeping-bed-silhouette_8652
8. "Antique elegant building with columns" by Freepik is licensed under a Flatiron Basic License. Last accessed 2/16/16. http://www.flaticon.com/free-icon/antique-elegant-building-with-columns_28620
9. "Russian Orthodox Church" by Freepik is licensed under a Flatiron Basic License. Last accessed 2/16/16. http://www.flaticon.com/free-icon/russian-orthodox-church_75047
10. "Apothecary symbol" is in the public domain. Last accessed 2/16/16. http://www.clipartbest.com/clipart-9TRo4LeTe
11. "Shopping cart of checkered design" by Freepik is licensed under a Flatiron Basic License. Last accessed 2/16/16. http://www.flaticon.com/free-icon/shopping-cart-of-checkered-design_34627
12. "Film Roll" by Freepik is licensed under a Flatiron Basic License. Last accessed 2/16/16. http://www.flaticon.com/free-icon/film-roll_61342
13. "Stadium" by Freepik is licensed under a Flatiron Basic License. Last accessed 2/16/16. http://www.flaticon.com/free-icon/stadium_53213
14. "Comedy and drama masks" by Freepik is licensed under a Flatiron Basic License. Last accessed 2/16/16. http://www.flaticon.com/free-icon/comedy-and-drama-masks_45881
15. "Train" by Freepik is licensed under a Flatiron Basic License. Last accessed 2/16/16. http://www.flaticon.com/free-icon/train_46407

9.5 Упражне́ние Л. Фа́кты. Собы́тия. Лю́ди.

Material is ©2016 by Encyclopedia Krugosvet. This excerpt from the entry "Иркутск" is licensed through March 2021. Last accessed 3/16/16. http://www.krugosvet.ru/enc/Earth_sciences/geografiya/IRKUTSK.html